Este livro é o testemunho vivo do poder de Deus na vida de um talentoso jogador apaixonado por Cristo e que influenciou positivamente a vida de diversas pessoas por meio do esporte.

AGEU GOUVEIA
Coordenador de Projetos Especiais da
Sociedade Bíblica do Brasil

Tive o privilégio de participar com Paulo Sérgio e outros colegas da vitoriosa campanha do tetracampeonato na Copa do Mundo de 1994. Naquela ocasião, pude conhecer melhor o grande homem e profissional que tanto brilhou jogando com sucesso absoluto por equipes de ponta do futebol brasileiro e europeu. O que marca em sua vida e carreira é uma personalidade íntegra, um grande caráter e um enorme sentido de comprometimento com metas e com a transformação, tendo como base o esporte que sempre foi a sua vida e paixão. Paulo hoje professa suas crenças ajudando a melhorar o seu entorno, compartilhando e divulgando nobres valores de vida e colaborando para o crescimento pessoal e espiritual de muitos. Estou certo de que a história de vida narrada neste livro servirá de inspiração e exemplo para todos nós.

CARLOS ALBERTO PARREIRA
Técnico de futebol campeão do mundo

Conheci Paulo Sérgio como ponta direita do surpreendente Novorizontino de 1990. Dava para ver que ele sabia jogar futebol, mas ainda não era possível medir o crescimento que ele teria, muito rapidamente, no esporte. No Corinthians, Paulo vestiu a camisa com tranquilidade. Apesar do peso da responsabilidade, ele não se abateu. Vieram as conquistas e as propostas. No futebol alemão, além de enorme desenvoltura em campo, jogando para importantes equipes, como o Bayer Leverkusen e o Bayern de Munique, Paulo floresceu publicamente como um ser humano inteligente e cativante, que soube aproveitar o momento, aprender e ensinar numa cultura tão diferente da nossa — o que aumentou ainda mais sua grandeza. Paulo Sérgio não é mais um no mundo da bola. Campeão mundial em 1994, tem grandes histórias para contar. Vamos aprender com a vida vitoriosa dele.

FLÁVIO PRADO
Jornalista, apresentador do programa *Mesa redonda*,
da TV Gazeta, comentarista da rádio
Jovem Pan e professor no Cursos Prado

Em uma época de valores invertidos, casamentos rompidos e uma geração desorientada, precisamos de bons referenciais de conduta e integridade. É aí que surge Paulo Sérgio. Ele não foi somente um grande campeão no esporte, mas no jogo da vida! Por isso e muito mais eu recomendo a leitura deste livro!

PAULO SILAS DO PRADO PEREIRA (SILAS)
Técnico de futebol e ex-jogador

PAULO SÉRGIO

TRANSFORMADO PARA VENCER
AUTOBIOGRAFIA DE UM TETRACAMPEÃO

mundo**cristão**
São Paulo

Copyright © 2018 por Paulo Sérgio Silvestre do Nascimento
Publicado por Editora Mundo Cristão

Os textos das referências bíblicas foram extraídos da *Nova Versão Transformadora* (NVT), da Editora Mundo Cristão, salvo indicação específica. Usado com permissão da Tyndale House Publishers, Inc. Eventuais destaques nos textos bíblicos e citações em geral referem-se a grifos do autor.

Todos os direitos reservados e protegidos pela Lei 9.610, de 19/02/1998.

É expressamente proibida a reprodução total ou parcial deste livro, por quaisquer meios (eletrônicos, mecânicos, fotográficos, gravação e outros), sem prévia autorização, por escrito, da editora.

CIP-Brasil. Catalogação na publicação
Sindicato Nacional dos Editores de Livros, RJ

S491t

    Sérgio, Paulo, 1969–
    Transformado para vencer: autobiografia de um tetracampeão / Paulo Sérgio. – 1. ed. – São Paulo: Mundo Cristão, 2018.
    176 p.; 21 cm.

    ISBN 978-85-433-0304-8

    1. Sérgio, Paulo, 1969–. 2. Jogadores de futebol – Brasil – Biografia. 3. Autobiografia. I. Título.

18-47794   CDD: 927.96334
                                                               CDU: 929:796.332

Categoria: Biografia

Publicado no Brasil com todos os direitos reservados por:
Editora Mundo Cristão
Rua Antônio Carlos Tacconi, 79, São Paulo, SP, Brasil, CEP 04810-020
Telefone: (11) 2127-4147
www.mundocristao.com.br

1ª edição: maio de 2018

Ao meu pai, Armando José (*in memoriam*); à minha mãe, Maria Angélica; à minha esposa, Merly Cristina; aos meus filhos, Luiz Felipe e Ana Caroline; e a todos os torcedores e amigos que acompanharam a minha trajetória até aqui. Vocês foram fundamentais para as vitórias que vivenciei dentro e fora dos campos.

Sumário

Agradecimentos	9
Apresentação	11
Prefácio	13
Introdução	15
1. Primeiros passos, primeiros chutes	17
2. Atleta do timão, da seleção e de Cristo	33
3. Rumo à Europa	49
4. Campeão do mundo	67
5. Em solo muçulmano	95
6. De goleador a pastor	107
7. Novas oportunidades	121
8. Legado eterno	133
Conclusão	147
Fotos	151
Sobre o autor	169

Agradecimentos

Agradeço a Deus, em primeiro lugar, pois ele realizou grandes obras em minha vida e me proporcionou a alegria de poder ser um testemunho de fé e transformação.

Sou grato à minha querida mãe, Maria Angélica, que sempre foi uma guerreira e um exemplo inspirador em minha jornada; e aos meus familiares, que em todos os momentos me ofereceram apoio e palavras de ânimo e perseverança.

Não poderia deixar de agradecer à minha esposa, Merly Christina, que todos esses anos tem sido uma grande companheira; e aos meus filhos, Luiz Felipe e Ana Caroline, a quem amo muito.

Muito obrigado ao amigo Ageu Gouveia, que me colocou em contato com a Editora Mundo Cristão, e a todos os profissionais que me ajudaram no processo de produção desta autobiografia.

Agradeço também aos companheiros que fizeram parte das diferentes etapas de minha trajetória como jogador de futebol, como pastor e como profissional do esporte. Vocês são preciosos para mim.

Apresentação

Não são muitas as pessoas que podem dizer que se sagraram campeãs na maior disputa de futebol do planeta: a Copa do Mundo. Paulo Sérgio tem esse privilégio. Ele faz parte do seleto grupo que, de taça nas mãos e cheio de felicidade no coração, deu a volta olímpica para celebrar a conquista no campeonato que reúne as melhores seleções de futebol da Terra. Portanto, não é errado dizer que Paulo é um dos melhores jogadores de futebol que já passaram pelo planeta.

Mas a trajetória desse atleta que queria ser piloto de avião e chegou a trabalhar como flanelinha é muito mais rica do que se poderia imaginar. Paulo tem uma vida que inspira e motiva.

Ler a sua história não apenas sacia a curiosidade de quem deseja conhecer mais sobre os bastidores do futebol profissional do Brasil e do exterior, mas instiga e leva à reflexão sobre diferentes áreas da vida.

Bem-sucedido profissionalmente dentro e fora dos gramados, esse paulistano nascido na Vila Clementino é um homem de família e um exemplo de fé. Na era de valores líquidos e de pós-verdade em que vivemos, Paulo mostra que é possível conciliar sucesso e bem-estar financeiro com ideais morais sólidos, como honestidade, simplicidade, humildade, ética, fidelidade, lealdade e verdade.

A Editora Mundo Cristão publica esta biografia com a esperança de que a vida do autor e os ensinamentos que ele compartilha como fruto de décadas de vivência e grandes conquistas sirvam de exemplo e motivação para muitos. Jovens que sonham em se tornar astros do esporte, homens que desejam mudar de profissão, mulheres que estão em busca de caminhos para construir uma família sólida, atletas que almejam dar guinadas em sua carreira, profissionais que procuram inspiração para definir o que fazer após a aposentadoria, indivíduos em crise de fé, enfim, todo tipo de pessoa pode se beneficiar com a leitura desta obra.

Seja qual for a sua motivação, tenha a certeza de que o que o espera ao longo das próximas páginas é uma viagem instigante por gramados, estádios, pódios, países, gritos de gol e lições de vida. Ao final dessa jornada, você trará na bagagem aprendizados preciosos, compartilhados por um homem que passou por um grande processo de transformação para vencer... e venceu.

Boa leitura!

Maurício Zágari
Editor

Prefácio

Paulo Sérgio e eu fomos colegas de quarto durante a Copa do Mundo de 1994. Naqueles dias de tensão e pressão, a amizade e a companhia dele foram essenciais para diminuir a ansiedade que eu sentia ao representar a seleção brasileira de futebol no mais prestigiado evento esportivo do planeta. Embora já tivéssemos amizade, em virtude das atividades que realizamos juntos na Alemanha, foi no convívio próximo da concentração nos Estados Unidos que pude conhecer mais a fundo o ser humano que estava diante de mim.

Homem de princípios sólidos e altamente comprometido com a excelência, Paulo sempre se mostrou alguém determinado a ir além do esperado. Não é à toa que construiu uma carreira de sucesso por onde passou, inclusive no exigente ambiente esportivo europeu. Campeão de vários títulos importantes no futebol, tanto no Brasil quanto no exterior, tornou-se um jogador de altíssimo nível e conquistou o seu espaço com trabalho sério, responsável e criativo.

Sua carreira, obviamente, não foi vivida sempre nas alturas. Como ele relata neste livro, passou por muitos momentos difíceis e errou diversas vezes, o que faz dele um ser humano como outro qualquer. O segredo de seu êxito, porém, está nas atitudes que teve. Paulo não se deixou levar pelas dificuldades e pelos percalços da caminhada, mas soube enfrentá-los com humildade e resiliência. Sua perseverança o levou a vencer os reveses e a extrair deles lições que o tornaram um exemplo de vida a ser seguido.

Neste livro, o leitor terá a chance de conhecer mais de perto a história desse ícone do futebol brasileiro e de aprender com a sabedoria de quem tem experiência para compartilhar. A cada capítulo, você será convidado a refletir sobre princípios de vida edificantes enquanto rememora eventos vividos por Paulo. Tive o privilégio de acompanhar de perto muitos dos fatos narrados nesta autobiografia, e pude comprovar ao passar dos anos a maravilhosa transformação pela qual esse querido amigo passou. Transformação pela qual todos nós somos convocados a passar também.

Estou certo de que você, leitor, será encorajado, inspirado e desafiado por meio desta história. Que, assim como Paulo, sejamos nós também transformados para vencer!

JORGE DE AMORIM CAMPOS (JORGINHO)
Técnico de futebol e ex-atleta

Introdução

Gosto de biografias. Mergulhar no relato sobre a vida e as experiências de outras pessoas nos leva a aprender e crescer. É um privilégio observar de perto episódios retratados por quem os viveu, pois, ao tomar conhecimento sobre momentos ricos da trajetória de gente interessante, temos a chance de rememorar mais rapidamente o que foi construído ao longo de anos, às vezes, às custas de renúncias e sofrimentos. Absorver as lições e os princípios compartilhados nessas obras é uma atitude sábia. Se a estrada da experiência alheia nos revela que determinado passo não deve ser dado, é sábio evitar cometer o mesmo erro. Biografias são assim: ensinam, inspiram, advertem e entretêm. São mananciais de sabedoria.

Há muitos anos eu nutria o desejo de pôr no papel histórias e aprendizados que vivi em minha trajetória como jogador de futebol, marido, pai, personalidade pública e pastor. Eu sabia que, entre as experiências que vivi, havia conteúdo que poderia servir de inspiração para pessoas dos mais variados perfis.

Foi por meio de amigos que acabei entrando em contato com a Editora Mundo Cristão, conhecida pela excelência no mercado editorial brasileiro. Fiquei animado com os primeiros contatos com a equipe da casa, sempre muito profissional e disposta. Quando me dei conta, eu, o diretor Renato Fleischner e o editor Maurício Zágari estávamos sentados em um café de São Paulo, acertando os detalhes da realização da obra que você tem em mãos. Nela, compartilho os principais fatos de minha carreira e o aprendizado que carrego como resultado de erros e acertos, vitórias e derrotas, tempos de fartura e períodos de escassez. Dentre outros assuntos, falo sobre superação, família, vida espiritual e profissional, e divido *insights* para que leitores de diferentes idades possam esboçar uma trajetória de sucesso e de resultados genuinamente dignos de nota.

Seja você amante do futebol ou alguém que acompanha o esporte à distância, terá a oportunidade de saber mais sobre momentos históricos da paixão nacional, ao revisitar importantes eventos que marcaram o futebol brasileiro no passado recente — como a inesquecível Copa do Mundo de 1994, mundial em que estive entre o privilegiado grupo de atletas que ergueram a taça mais cobiçada do esporte bretão. Entre um evento e outro, trago à tona princípios valiosos que apliquei à minha vida e carreira e que podem e devem ser utilizados por quem deseja viver com excelência, aproveitando cada oportunidade, rumo a uma carreira pessoal e profissional de conquistas.

Sou grato a Deus pela oportunidade de dividir minha história com você nas páginas a seguir. Meu desejo é que cada fato narrado seja fonte de inspiração para a sua jornada, inspirando-o a voar sempre mais alto.

Paulo Sérgio aos 6 meses, em dezembro de 1969, no bairro de Santa Cecília, em São Paulo

1 Primeiros passos, primeiros chutes

Dizem que recordar é viver, e acredito nisso. Ao revisitar memórias antigas, tenho a impressão de vivenciar novamente os aromas, as sensações, as alegrias, as vitórias e as lutas que experimentei nas diversas fases de minha vida. Reconheço o valor de cada experiência e tenho certeza de que todas foram importantes para formar o Paulo Sérgio de hoje, já um homem maduro, pai de dois filhos adultos, tido como um dos heróis tetracampeões e um ícone do futebol brasileiro. Tudo começou, porém, de forma muito simples.

Nasci em 2 de junho de 1969, no Hospital do Servidor Público Estadual, na Vila Clementino, Zona Sul de São Paulo (SP). Passei toda a infância no bairro de Santa Cecília, área nostálgica que até hoje encanta pelas antigas residências da então promissora sociedade paulistana. Minha família morava em um casarão construído ainda quando Santa Cecília dava seus primeiros passos para se tornar uma zona tradicional da capital. A casa, grande e com muitos e espaçosos quartos, localizada na rua Jesuíno Pascoal, pertencia aos meus bisavós maternos, Eduardo Rosa e Alice Xavier, que também moravam ali. Aliás, aquele era o endereço de boa parte da família de minha mãe: tia Helena e tio Osório; os primos Rita, Eduardo e Tadeu; meus irmãos, Jean Paulo e Marcelo; minha mãe, Maria Angélica; e a babá, Faustina Iracema. Todos conviviam ali harmoniosamente. Talvez você tenha estranhado eu não mencionar meu pai, mas já falarei dele.

Em cada quarto morava um núcleo da família, que se reunia a cada noite em torno da televisão para assistir às telenovelas e conversar sobre os assuntos do dia. Lembro-me com saudade daquele tempo em que a TV ainda era em preto e branco e os *jingles* prendiam nossa atenção aos intervalos comerciais. Ainda me recordo da festa que foi quando chegou nossa primeira televisão em cores, uma verdadeira sensação para a época.

Éramos muito unidos e cuidávamos uns dos outros. Graças a Deus não cresci em um lar hostil, com brigas e divisões entre familiares. Pude me desenvolver em um ambiente de companheirismo, respeito e paz. Não há nada melhor para uma criança do que morar em um lar assim. Quando há paz entre os familiares, os pequenos crescem com segurança, sabendo que ao seu redor estão pessoas com quem podem contar. Pais e mães devem se esforçar para construir uma convivência harmoniosa no lar, pois os frutos disso perduram por toda a vida. Muitos dos valores que carrego até hoje, como respeito e atenção ao próximo, aprendi quando dividia a minha casa com bisavós, tios e primos, reconhecendo os limites estabelecidos e observando cuidadosamente minha conduta.

Naturalmente, havia desentendimentos, como em qualquer lugar em que convivem muitas pessoas, mas resolvíamos tudo visando ao bem-estar de todos. Não fui do tipo de criança que fica presa dentro de casa, até porque aqueles tempos eram outros. Havia mais segurança, as ruas eram mais tranquilas e não existiam tantos entretenimentos eletrônicos como hoje. Como todo moleque, fazia travessuras, mas nada que pudesse ferir a autoridade dos mais velhos.

Meu bisavô tinha o costume de ficar sentado na sala de casa, observando atentamente o movimento. Sua presença foi marcante em minha infância. Sabíamos que era importante ouvi-lo quando falasse, mantendo a postura correta diante de uma pessoa cujos cabelos brancos indicavam que diante de nós estava alguém com mais experiência de vida e sabedoria. Poucos têm a chance de conviver com os bisavós e de ouvir histórias de outras gerações. Considero um privilégio ter convivido com eles. Aliás, eles supriram a ausência de meus avós maternos, Eramis Silvestre e Juracy Rosa, que, naquela época, já haviam falecido.

Embora não fôssemos uma família religiosamente fervorosa, respeitávamos todas as tradições do calendário. O Natal era celebrado em toda a sua intensidade, com todos em volta da mesa da ceia, embalados pelo clima dessa época do ano. Tenho muita saudade desse tempo. Hoje em dia as pessoas parecem não desfrutar as festividades como no passado. Natal, por exemplo, era sinônimo de alegria, confraternização, reunião familiar e, logicamente, presentes. Era uma alegria só! Infelizmente, nos dias atuais, parece que o individualismo, o imediatismo e o consumismo tiraram aquele senso de humanidade tão saudável que azeitava as relações humanas e fazia do Natal uma oportunidade para o estreitamento dos laços afetivos. Essa e outras festas eram ocasiões propícias para a partilha e para a fraternidade.

Hoje, as pessoas estão distraídas, alheias aos seus semelhantes e imersas em um mundo virtual que não condiz com a realidade. É uma pena, pois, nessa ambiência, perdemos a oportunidade de nos conectar de verdade com o outro, criando vínculos saudáveis. Naquelas celebrações de Natal, meu sonho era ganhar um tênis da marca Rainha, uma camiseta e uma calça, itens que deveriam durar o ano todo. Tudo era muito simples, mas permeado de satisfação.

Infelizmente, nos dias atuais, parece que o individualismo, o imediatismo e o consumismo tiraram aquele senso de humanidade tão saudável que azeitava as relações humanas e fazia do Natal uma oportunidade para o estreitamento dos laços afetivos.

Papai e mamãe se separaram em meados de 1976, quando eu tinha 7 anos. Meu pai, Armando José, e eu tivemos um relacionamento distante num primeiro momento, situação que mudou quando me tornei adolescente. Infelizmente, ainda pequeno, vi algumas posturas em meu pai que me desagradaram profundamente. Certa vez, o vi tratar minha mãe com extrema rudeza, fato que ficou gravado em minha memória durante muitos anos. Foi muito ruim presenciar aquela cena. Se você é pai, mãe ou responsável por uma criança, tenha cuidado com o seu comportamento perto dela. Uma atitude indevida pode gerar trauma, distanciamento e tristeza no coração do pequenino. Observe bem as mensagens que transmite por meio de seus hábitos e atitudes, pois as crianças são sensíveis e captam tais mensagens com extrema facilidade. Seja exemplo de moral, ética e virtude, assim seu pequeno terá do que se orgulhar e verá em você um modelo seguro a seguir.

Graças a Deus, meu pai mudou de atitude, passando a ter uma postura honrosa e respeitosa em relação à minha mãe e a todos da família. Por meio do perdão, permiti que meu coração se aproximasse do dele. Assim, nosso relacionamento foi reavivado. Perdoar é sempre a melhor escolha. Quando perdoamos, abrimos espaço para que a cura e a restauração aconteçam. Aconselho a todos que guardam rancor, mágoa e melancolia que se livrem desse fardo pesado por meio do perdão. Deus nos criou para a liberdade, um estado de paz e plenitude que deve nortear nosso ser por inteiro, inclusive nossos sentimentos. O perdão libera o favor de Deus, pois Jesus afirmou que seremos perdoados na medida em que perdoarmos (Lc 6.37). Cristo enfatizou a importância do perdão ao ensinar a oração do Pai-nosso aos seus discípulos:

> Portanto, orem da seguinte forma: Pai nosso que estás no céu, santificado seja o teu nome.

Venha o teu reino. Seja feita a tua vontade, assim na terra como no céu.

Dá-nos hoje o pão para este dia, e perdoa nossas dívidas, assim como perdoamos os nossos devedores.

E não nos deixes cair em tentação, mas livra-nos do mal. Pois teu é o reino, o poder e a glória para sempre. Amém.

Seu Pai celestial os perdoará se perdoarem aqueles que pecam contra vocês. Mas, se vocês se recusarem a perdoar os outros, seu Pai não perdoará seus pecados.

Mateus 6.9-15

Não posso negar que o divórcio e a consequente ausência de meu pai foram dolorosos para mim e para meus irmãos. A figura paterna exerce papel fundamental na vida da criança, principalmente quando se trata de um garoto. Todos, em um momento ou outro, procurarão encontrar modelos de hombridade durante a fase de crescimento, além da força e da liderança próprias do sexo masculino. Um pai exemplar exerce grande influência na formação do caráter dos filhos, que encontram nele um referencial seguro para dirigir os seus passos. Lições de vida são o maior legado que pode deixar para os filhos.

Minha mãe segurou as rédeas da situação com todas as forças e deu conta do recado. Sozinha, sustentou os quatro filhos sem titubear. Oficial de justiça do Fórum de Santos (SP), todos os dias fazia o trajeto da capital até a cidade litorânea para trabalhar com afinco e manter as contas pagas. Embora não nos faltasse o que comer, não tínhamos o que esbanjar. Por isso, nutríamos um senso de gratidão pelo que havia na mesa, fosse um banquete ou um copo de café com leite. Já aconteceu de termos apenas feijão com farinha e pão com açúcar como refeição, mas jamais passamos fome. Deus, em sua graça, não nos deixava sem sustento; pelo contrário, sempre tínhamos o que comer e vestir.

Aprendi desde cedo a ser grato pelo que possuía, por mais simples que fosse. Sabia que tudo o que minha mãe nos propiciava era fruto de muito esforço. Afinal, não era nada fácil viajar de São Paulo a Santos diariamente, ida e volta, tendo que somar a esse deslocamento penoso as horas de trabalho árduo.

Aprendi desde cedo a ser grato pelo que possuía, por mais simples que fosse. Sabia que tudo o que minha mãe nos propiciava era fruto de muito esforço.

Sempre vi em minha mãe uma mulher forte e guerreira, cheia de fibra e determinação, pois sacrificou parte da vida para nos alimentar, mesmo que isso significasse passar menos horas com a família. Todos os dias acordava cedo e chegava tarde, sempre satisfeita por ter completado mais um dia em sua difícil rotina. Por precisar ficar tanto tempo fora de casa, confiou à minha tia Helena a responsabilidade de zelar pelo bom comportamento dos filhos.

Titia deixava uma cinta pendurada na parede, como sinal de que, se algo escapasse do controle, certamente levaríamos umas boas lambadas. Os tempos eram diferentes e a educação dada aos filhos também. Confesso que dei trabalho algumas vezes e levei boas surras. No entanto, sei que tia Helena me amava e queria o meu bem. Ela mantinha um controle rígido em relação ao relógio. Quando já estava escurecendo, toda a molecada, ou seja, meus primos e irmãos, e eu, deveríamos estar dentro de casa para tomar banho, jantar e descansar para o dia seguinte. Além da supervisão de tia Helena, contávamos com os cuidados da babá que amávamos. Faustina era uma senhora prestativa que nos tratava como filhos. Ela cuidava de tudo, da alimentação à educação. Era uma boa empregada e tornou-se, praticamente, membro da família.

Meu dia a dia como garoto era pura alegria. Pela manhã, ia à escola e, à tarde, brincava na rua até cansar. Nos anos 1970, a educação pública no Brasil tinha excelente qualidade e os

Primeiros passos, primeiros chutes

colégios estaduais eram ótimos. Estudei no colégio Arthur Guimarães e no Caetano de Campos, ambos na região central de São Paulo. Essas escolas estavam no topo da lista das melhores instituições de ensino do estado. Em determinada época, se eu faltasse às aulas, era obrigado a fazer tabuadas extras, uma forma de nos desestimular a matar aula.

Certa vez, entre os 9 e 10 anos, aprontei e tive de faltar à escola por medo — consequentemente, tive de fazer tabuadas extras! A história foi a seguinte: naquele tempo, era raro encontrar evangélicos em grande quantidade nas salas de aula. Era fácil identificar os "crentes", principalmente se fossem mulheres: de saia longa e cabelo comprido, elas sofriam *bullying* por causa da fé que professavam e dos costumes que abraçavam. Eu era um dos que implicavam com as evangélicas, fazendo piadas e usando palavras grosseiras em relação a elas. Só que aquelas meninas não eram nem um pouco bobas. Certo dia, fiz uma brincadeira de mau gosto com uma garota de minha sala. Ela não deixou barato e chamou seus dois irmãos, mais velhos e fortes, para me dar um susto no horário de saída. Logo que vi os grandalhões, dei no pé e não tive coragem de ir à aula no dia seguinte. Quando retornei, dois dias depois, tive de dedicar-me a quê? Às intermináveis tabuadas extras! A lição surtiu efeito e nunca mais provoquei os "crentes".

As idas e vindas dos colégios em que estudei eram muito divertidas. Meus amigos de sala e eu gostávamos de passear pelas ruas do Centro de São Paulo, que, na época, eram relativamente mais bem cuidadas. Gostávamos de ir às lojas de tradição, como o saudoso Mappin, na Praça Ramos de Azevedo, e a Mesbla, que possuía diversas filiais. Olhávamos as vitrines, íamos à seção de *games*, víamos discos e roupas de marca. Sonhávamos com o dia em que poderíamos comprar os aparelhos de televisão gigantes ou os potentes aparelhos de som. Dessa forma, a caminhada de mais ou menos três quilômetros de casa para a escola se tornava um passeio divertido entre a garotada da sala de aula.

SONHO DE CRIANÇA

Quando pequeno, meu sonho era ser piloto de avião. Sonhava em poder comandar uma grande aeronave e em ter em minha cabeça o quepe de capitão. Viajar de avião era algo relativamente distante da maioria da população da época, já que as passagens eram extremamente caras. Quando via as aeronaves no céu, imaginava como poderia ser o ambiente dentro daqueles veículos cheios de *glamour* e de aeromoças elegantes e educadas! Eu imaginava o dia em que cruzaria o Brasil de norte a sul no comando de uma máquina que até hoje me fascina por sua tecnologia e tamanho. Meu sonho, no entanto, era alimentado secretamente, pois sabia que minha família não tinha condições de arcar com o que era necessário para que eu pudesse me tornar um piloto. O curso era caro, sem falar nas horas de voo monitoradas, necessárias para a formação. Por enxergar minha situação de forma muito honesta, eu me contentava em observar os aviões nos ares.

Muitas crianças tinham miniaturas de aeronaves, mas eu não. Tampouco revistas que falassem sobre aviação. Tudo de que eu dispunha era uma boa imaginação. E, hoje eu sei, a imaginação é muito importante! Acredito que toda grande realização começa com um pensamento que, regado e nutrido com atitudes e fatores positivos, se torna a base de partida para alcançar vitórias.

Acredito que toda grande realização começa com um pensamento que, regado e nutrido com atitudes e fatores positivos, se torna a base de partida para alcançar vitórias.

Mesmo não tendo sido piloto de avião, não considero que meu sonho tenha se frustrado. Na realidade, outras oportunidades surgiram em minha vida e me fizeram seguir um caminho diferente, igualmente fascinante. Por isso, digo a todos que não realizaram um sonho que observem bem a sua trajetória e deem valor ao que estão construindo, mesmo que seja algo diferente do que idealizaram a princípio. Você não deve desanimar quando as circunstâncias parecerem levar para longe dos seus ideais. Apenas continue fazendo o melhor, aproveitando cada oportunidade que Deus colocar à sua frente. Recue quando necessário e avance sempre que enxergar potencialidades. Pode ser que aquela situação a que menos dê valor seja a grande porta que o Criador abriu em sua vida. Foi assim que aconteceu comigo em relação ao futebol.

Porém, antes que me tornasse um jogador bem-sucedido nos gramados, eu fui, acredite, flanelinha. Não, você não leu errado: às vezes, no intuito de ganhar um dinheirinho e comprar uma pipa ou um doce, eu trabalhava como flanelinha no estacionamento da Paróquia Santa Cecília, principal cartão postal do bairro onde morava. Eu ajudava os motoristas a estacionar os carros e prometia cuidar dos veículos. Assim, ganhava algumas moedas, que logo eram usadas para comprar coisas de que todo menino gosta.

Devo admitir que eu não era muito afeito aos estudos, principalmente depois do ensino fundamental. Eu queria mesmo era ficar na rua, jogando futebol, empinando pipa, brincando com bolinhas de gude ou fazendo alguma outra coisa divertida. Naquela época, a maioria das crianças desfrutava da infância do lado de fora de casa, na rua, no campo ou nas quadras, e não em frente ao televisor ou ao *smartphone*, como ocorre hoje em dia, principalmente nas metrópoles.

Assim, eu e meus amigos suávamos a camisa correndo, nos escondendo e aproveitando os anos mais lúdicos da vida. Hoje, é mais difícil ver a garotada animada nas ruas, pois meninas e meninos preferem ficar a maior parte do tempo livre dentro de casa, brincando com aparelhos eletrônicos — e seus pais, em geral, apoiam, por questões de segurança. Além disso, a nova geração das grandes cidades já não conhece as brincadeiras mais simples que animavam a velha infância. Atualmente, é tudo tecnológico e virtual: os tempos mudaram e os meios de entretenimento também. Contudo, não posso deixar de falar que foi nesse ambiente de brincadeira na rua que conheci os benefícios do esporte e pude desenvolver minhas primeiras habilidades com a bola.

A moçada de minha rua era bastante bagunceira. Sei que irritávamos alguns vizinhos com nossa gritaria e com o barulho da bola que gostávamos de chutar nas portas das garagens, transformadas em gols, em nossa imaginação. Em determinadas ocasiões, alguns vizinhos mal-humorados usavam estilingues para nos atirar bolinhas de gude. Certa vez, uma vizinha chamou a polícia, tamanho era o barulho da bola explodindo na porta de metal. Todos saímos correndo, como baratinhas, assustados com a chegada dos policiais, pois tínhamos profundo respeito e temor aos homens de farda. Quando eles chegaram à minha porta e perguntaram por mim, tremi de medo. Mas, após ouvir recomendações dos policiais, não teve jeito: fui obrigado a dedurar meus amigos, que levaram uma chamada também. Esse tipo de confusão acontecia com certa frequência.

Meus amigos e eu brincávamos muito nas ruas da região, que, na época, possuíam campos de terra onde fazíamos "contras", como chamávamos as partidas de futebol. Uma dessas localidades é a rua das Palmeiras, muito conhecida pelos paulistanos. Hoje, ela é bem diferente e urbanizada. Com muita frequência, também íamos a uma quadra construída por ali e à biblioteca do bairro. Entre um trabalho escolar e outro, sempre tínhamos um bom motivo para rir.

É claro que, pelo fato de brincarmos na rua, nos envolvíamos em situações perigosas, como correr atrás de pipas ou jogar bola em meio à passagem dos carros. Certo dia, Marcelo, meu irmão mais novo, atravessou a rua sem prestar atenção e foi atropelado. Sua perna ficou em carne viva. Todos correram para levá-lo à Santa Casa de Misericórdia da região. Voltei para casa desesperado com a situação de meu irmão, mas, graças a Deus, ele ficou bem e, em pouco tempo, já estava na rua brincando novamente. Sua recuperação me deixou muito feliz, já que, como irmão mais velho, a partir de certa idade passei a ajudar no cuidado de meus irmãos. Sentia-me profundamente responsável por eles e zelava por cada um.

Como a maioria dos garotos que gostam de brincar na rua, eu passava um bom tempo jogando futebol, mas até então via essa atividade como um passatempo, não como um ideal de vida. Jamais tinha alimentado a intenção de ser jogador profissional, até que tudo começou a mudar.

ENTRANDO NO GRAMADO

Logo que completei 13 anos, passei a ir com meus amigos jogar futebol nos times de várzea da Barra Funda e do Bom Retiro, dois bairros famosos de São Paulo. A garotada enchia os campos da região nos fins de semana. Para chegarmos a eles, fazíamos o percurso de mais ou menos dois e três quilômetros, respectivamente, desde a Santa Cecília, brincando e chutando bola.

Certo dia, fui para um jogo no time de várzea do Corinthinhas, uma equipe mirim. Ao me ver jogar, um técnico chamado João, um senhor de meia-idade, me convidou para realizar um teste na sede do time, no Parque São Jorge, no bairro de Tatuapé, zona leste da capital paulistana. Creio que eu jogava bem, pois, antes daquele convite do Corinthians, eu já havia sido convidado para um teste no Juventus, porém não aceitei. Naquele dia foi diferente.

Creio que eu jogava bem, pois, antes daquele convite do Corinthians, eu já havia sido convidado para um teste no Juventus, porém não aceitei. Naquele dia foi diferente.

Ao ouvir o convite do técnico João, fiquei interessado, mas não queria compromisso. Por isso, não me empolguei. Meu negócio era brincar e não ter de jogar sob pressão — como eu acreditava que aconteceria caso fosse a um time de renome. No entanto, decidi ir à "peneira", como era chamada a avaliação de potenciais jogadores. Chegando ao Parque São Jorge... frustração. Naquele dia não houve teste e voltei para casa chateado. Por isso, desisti de voltar a uma nova peneira. Afinal, não alimentava o ideal de ser jogador.

Pouco tempo depois, comecei a jogar em uma escolinha de futebol da prefeitura, no bairro da Aclimação, entre o centro e a zona sul de São Paulo. Nessa época, minha mãe já havia se mudado da casa de meus bisavós para um sobrado de esquina na Vila Mariana, na zona sul, herdado de minha tia Odete, que falecera recentemente. Como morador da região, ia à escolinha de futebol para me divertir e passar o tempo. Eu jogava sem nenhuma pretensão de mostrar habilidades superiores.

Foi literalmente brincando que conquistei credibilidade no time mirim e me tornei conhecido entre os professores. Quando a escola recebeu uma ligação da direção do Corinthians, solicitando indicações de novos talentos para as suas peneiras, os professores indicaram a mim e a meu amigo Luiz, que chamávamos de Moniquinha, por causa de seus dentes que lembravam a personagem de Maurício de Souza. Recebemos o convite com muita alegria e combinamos em ir. Para nossa surpresa, nós dois passamos no teste. A partir desse dia, passei a integrar um dos times de base do Corinthians.

Como agora eu era um pequeno jogador, parte da equipe de um clube de renome, minha responsabilidade era participar dos treinos, que aconteciam durante as tardes, e dos jogos, nos fins de semana. Eu recebia uma ajuda de custo que dava apenas para a condução, mas minha mãe me apoiava, pois gostava de saber que o filho estava praticando um esporte. Recebi muito apoio dos primos Edson e Rita, que me aconselhavam, motivavam e me recebiam em sua casa na Cohab 2, em Itaquera, bairro residencial próximo do Parque São Jorge.

O dia a dia era puxado, mas eu não podia desanimar. Meu percurso envolvia a viagem da zona sul à zona leste após o período escolar e, muitas vezes, um tempo de caminhada, pois não tinha como complementar a condução para outra linha que me deixasse mais perto da sede do Corinthians. Moniquinha e eu jogamos um tempo juntos, mas ele logo desistiu. Eu, no entanto, decidi permanecer. Agradeço a Deus por essa decisão, pois ela me conduziria a patamares mais elevados.

Meu início no Corinthians foi simples, sem nenhum grande devaneio. Eu sabia que ali havia uma oportunidade, mas, em um primeiro momento, não nutria grandes expectativas. Por isso, jogava muito à vontade, como quem estava apenas se divertindo em uma tarde de futebol entre amigos. Talvez por isso eu tivesse tanta desenvoltura, já que o nervosismo pode limitar e atrapalhar. É importante manter sempre os pés no chão e controlar a ansiedade, sabendo que nosso talento aparecerá à medida que simplesmente fizermos o melhor, sem a intenção de impressionar os outros.

Com o dia a dia, meu amor pelo esporte foi crescendo e um novo sonho começou a brotar em meu coração: deixar de jogar no campo em que o time de base jogava, o "terrão", e passar a treinar em um campo bem cuidado que havia dentro do clube, a "fazendinha". Lá, já haviam atuado grandes nomes do futebol, como Sócrates, Casagrande e Rivelino. Eu percebia naquela época que poderia me tornar um jogador profissional. E foi o que aconteceu.

A estreia de Paulo Sérgio
no time profissional do
Corinthians ocorreu aos
19 anos, em 1988.

2 Atleta do timão, da seleção e de Cristo

Com minha entrada no Corinthians, passei a vislumbrar a possibilidade de me tornar jogador profissional. Eu vivia esse sonho, no entanto, com os pés no chão e de forma leve. Não era o tipo de jovem ansioso nem fanático, apenas um garoto que gostava de estar em campo e de jogar bem. Como integrante das equipes de base de um time de renome, estava ciente das responsabilidades, que cumpria à risca. Eu compreendia, por exemplo, que minha condição física tinha de estar em dia e que devia preservar a saúde com bons hábitos. Isso me levou a desenvolver disciplina em relação à rotina de exercícios, à alimentação, ao sono e ao descanso. Já não podia estar sempre que quisesse na pracinha do bairro com os amigos, mas precisava ser aplicado, para garantir um bom desempenho em campo.

No começo da adolescência, comecei a ir ao litoral paulista com bastante frequência, na companhia de primos e amigos, a fim de acampar. Pegávamos uma barraca e algumas coisas para comer e logo íamos curtir um tempo de folga, para nadar na praia e jogar conversa fora. Eram passeios cheios de histórias para contar, como no dia em que deixei a única barraca do grupo escorregar pela balsa e cair no mar, ou quando derrubei a única porção de macarrão na areia fina. Até hoje me recordo daquela refeição "crocante".

O fato é que eu aproveitava bastante aqueles momentos de descontração, sem perder o foco das obrigações como atleta. Não bebia, não fumava, não exagerava na comida e jamais aceitava qualquer tipo de oferta que pudesse prejudicar meu bem-estar e minha integridade física. Certa vez, quando alguns rapazes me ofereceram maconha, recusei prontamente, e fui respeitado por minha posição. Aliás, um dos benefícios do esporte é justamente a capacidade de despertar no atleta o senso de cuidado com o organismo, algo que reflete positivamente em sua qualidade de vida. Os rapazes do círculo de amigos sabiam de meu posicionamento rígido em relação a determinados vícios e comportamentos e, respeitosamente, não me importunavam. Com essa postura amigável, mas firme, ganhei credibilidade entre os jovens.

Creio que o governo economizaria muito no combate à criminalidade e ao vício em drogas ilícitas se investisse mais no esporte nacional. No dia a dia dos treinos e das competições, o atleta aprende princípios preciosos, como disciplina e respeito ao corpo, e passa a valorizar os benefícios da atividade física e do combate ao ócio negativo. É triste ver tantos meninos e meninas talentosos perderem oportunidades que mudariam sua vida pelo fato de não disporem de recursos para manter uma rotina de treinos, comprar equipamentos ou desenvolver habilidades.

Como minhas viagens ao litoral mostram, não faltava espaço na agenda para a diversão. Mesmo sem me embriagar, eu não perdia as oportunidades, em dias de folga, de ir a uma boa roda de samba e às festas. Confesso que eu era bem namorador e aproveitava bastante o assédio das meninas. Certo dia, porém, isso mudou, quando assumi um relacionamento sério com a fé cristã e passei a enxergar meu compromisso com Merly, hoje minha esposa, como algo sagrado.

Conheci Merly quando tinha 16 anos. Ela ia a um clube de campo do chamado Clube Aristocrata, situado na região do Grajaú, distrito da zona sul da cidade de São Paulo, local em que aconteciam festas a que eu gostava de comparecer. Seu pai, Sérgio Ribeiro, era amigo de minha mãe, e sócio do clube, e me convidou para um aniversário, ali. Aproximar-me de Merly foi relativamente fácil, pois já a conhecia em razão da amizade que tinha com sua família.

Confesso que eu era bem namorador e aproveitava bastante o assédio das meninas. Certo dia, porém, isso mudou, quando assumi um relacionamento sério com a fé cristã e passei a enxergar meu compromisso com Merly, hoje minha esposa, como algo sagrado.

Certo dia, tivemos uma boa conversa e ela mostrou ser uma garota muito simpática e inteligente. Algo despertou meu interesse naquela morena que tinha um sorriso encantador. A conversa rendeu e, para minha alegria, ela se interessou por mim também! Ao final daquela noite, selamos nosso interesse e, no dia seguinte, oficializamos o nosso compromisso. Namoramos durante cinco anos.

A vida seguia bem, entre treinos, jogos e namoro. Quando completei 17 anos, meu pai e eu começamos a nos aproximar, e foi muito bom tê-lo presente na maioria dos jogos de que eu participava. Aos poucos, comecei a ganhar nome nos times de base do Corinthians, principalmente depois que fui campeão paulista juvenil. Meu pai tornou-se um torcedor de carteirinha, a ponto de arrumar brigas com outros torcedores quando falavam mal de meu desempenho.

Eu tinha consciência de que estava ganhando espaço e projeção e, tão logo completei 18 anos, me vi obrigado a tomar a decisão: ou me profissionalizava ou pedia para sair do time. Essa resolução, obviamente, não foi tomada de qualquer modo. Pensei bastante e ponderei seriamente os prós e os contras. Eu tinha sérios motivos para isso, pois ver minha mãe trabalhar arduamente para manter a casa me preocupava bastante.

Na época, eu já recebia uma pequena ajuda de custo que ia além do valor da condução, mas nada que pudesse ajudar significativamente nas despesas domésticas. Eu me sentia na obrigação de fazer algo para contribuir com nosso sustento e aliviar um pouco a carga de minha mãe, pois não era o tipo de jovem encostado que suga dos pais, esperando que tudo chegue pronto às mãos. Pelo contrário, eu procurava fazer o melhor para alcançar algum resultado. A ânsia por ver a situação mudar me fez ter uma conversa séria com a direção do Corinthians: ou eles me efetivavam no time profissional ou eu daria adeus aos campos.

Paulo, profissional

Nesse período, tive excelentes resultados e passei a ser chamado para realizar substituições no time profissional, o que me deu mais segurança para pedir a promoção. O resultado da conversa com a diretoria do clube não poderia ser melhor. Pouco tempo depois, fui convocado para fazer parte do elenco de jogadores da equipe principal, que contava, na época com nomes como Ronaldo Giovanelli, Édson (Abobrão), Marcelo (Zé Gotinha), Márcio Bittencourt, João Paulo, Viola e Biro-Biro.

Quando comecei a jogar no time profissional, em 1988, aos 19 anos, José Carlos Fescina, que me acompanhou como treinador nos times de base, era o auxiliar técnico e Jair Pereira, o treinador. Todos em minha casa ficaram muito contentes com a promoção que recebi e me apoiaram muito nessa fase de transição. Mas, verdade seja dita, não foi fácil, já que o peso da responsabilidade era muito maior. Quando eu jogava nos times de base, não sofria tanta pressão por parte da equipe, da torcida e da imprensa, fato que mudou completamente quando passei para o time profissional.

Fiz alguns jogos como reserva e como titular. Felizmente, tive um desempenho satisfatório e, ainda no mesmo ano, Fescina assumiu a comissão técnica. Gostei muito disso, em função da amizade que nutríamos. Fescina foi um grande incentivador de minha carreira. Ele sempre tinha palavras de ânimo e conversava muito comigo durante as caronas que me dava até minha residência, na Vila Mariana. Suas palavras foram fundamentais para que eu me mantivesse sempre motivado. Sua liderança inspiradora me ajudou a prosseguir em momentos de dificuldade.

Minha estreia como titular ocorreu em um jogo contra o Palmeiras, no estádio do Morumbi, em São Paulo. Mesmo com a derrota de minha equipe, fui considerado um dos melhores jogadores em campo pela imprensa nacional e pelos torcedores. Naturalmente, isso significou muito para mim. Minha família acompanhou de perto esse jogo, torcendo na arquibancada. Essa foi a primeira vez que minha mãe foi a um estádio. Fiquei empolgado ao saber que ela estava ali e joguei com um sentimento diferente.

A segunda partida ocorreu uma semana depois, contra o Atlético Mineiro, no estádio do Canindé, também na capital paulistana. O Corinthians perdeu por 1x0, o que deixou a torcida furiosa, a ponto de invadir o campo. Tivemos de ficar presos dentro do ônibus até os ânimos se acalmarem.

Com a entrada para o time profissional, minha situação financeira começou a melhorar. Não ganhava grandes fortunas, mas já podia ajudar em casa e comprar o que queria, como um Fusca bege, lembrança de que gosto muito. Nessa época, Merly e eu tivemos algumas conversas sobre casamento, ideia apoiada por nossas respectivas famílias. Merly tinha um comportamento exemplar, era trabalhadora e sempre estava ao meu lado.

Infelizmente, naquele início, confesso que falhei em nosso compromisso, cedendo ao assédio das torcedoras. Sim, eu deixei o sucesso subir à cabeça e assumi uma postura orgulhosa em relação à minha atuação nos gramados.

TRANSFORMADO PELA FÉ

A Bíblia diz que o orgulho precede a destruição e a arrogância precede a queda. Precisamos ter cuidado quando pensamos que somos a última bolacha do pacote, pois a arrogância é a antecessora da derrota e da vergonha. Sempre que estiver em uma posição de destaque, zele para que o seu coração se mantenha humilde. Não enxergue além daquilo que você realmente é: um ser humano de carne e osso, assim como todas as outras pessoas. Não somos melhores do que ninguém e, se não for pela graça de Deus, não chegamos a lugar algum. Eu tive de levar uma rasteira para aprender essa verdade.

Tudo aconteceu em 1989, quando fui pego de surpresa pela decisão do Corinthians de contratar Fabinho, um jogador excelente do Novorizontino, time de Novo Horizonte (SP). Em contrapartida, o Novorizontino pediu que eu fosse emprestado a eles por um período de um ano. A proposta foi aceita pela direção do clube. Fiquei muito triste com a notícia, pois acreditava — erroneamente — que não teria a mesma projeção. Além disso, tinha de me mudar para outra cidade, a aproximadamente quatro horas e meia de distância de casa. A perspectiva não era animadora, mas não havia nada que eu pudesse fazer.

De malas prontas, embarquei para a sede do Novorizontino, que ficava no estádio Doutor Jorge Ismael de Biasi, mais conhecido como Jorjão, em Novo Horizonte. Lá, dividi um quarto, que ficava embaixo da arquibancada, com outros quatro jogadores. A rotina de treinos era pesada, geralmente dividida em três turnos que começavam às seis horas da manhã. Somente nos dias de folga eu via meus familiares e Merly, que naquela época já era minha noiva. Não era fácil trabalhar duas semanas ininterruptamente e ver meus entes queridos apenas dois dias.

Mesmo tendo sofrido aquele baque, eu ainda mantinha ares de orgulho. Cheguei ao Novorizontino achando que era o máximo, pois vinha de um clube de grande projeção nacional. Quebrei a cara! Minha atuação foi péssima e quase me devolveram ao Corinthians, em função dos maus resultados que obtive na fase inicial.

Nessa época, minha fé era uma verdadeira mistura religiosa. Por influência de minha mãe, afeita à umbanda, eu levava patuás, imagens de santos, guias e velas para o meu quarto, a fim de ter melhores resultados em campo. Supersticioso, fazia simpatias antes de entrar nos jogos e segurava uma Bíblia que não era lida, mas que, para mim, funcionava como um ingrediente a mais para me dar sorte. Minha angústia começou a crescer e minha mente entrou em parafuso. Eu não estava focado, tampouco conseguia ter um rendimento satisfatório em campo.

No primeiro semestre de 1990, começou a campanha do Campeonato Paulista daquele ano, e a direção do Novorizontino contratou Nelsinho Baptista e Flávio Trevisan, respectivamente treinador e preparador físico. A liderança de Nelsinho foi fundamental nesse momento crítico. Certo dia, o técnico me chamou de canto e me disse: "Paulo, o que você quer da vida? Você tem um grande potencial, mas não o está utilizando. Ou você dá certo aqui ou vão mandá-lo embora e você será apenas mais um. Concentre-se e mantenha o foco". As palavras de Nelsinho penetraram meu coração e me despertaram para dar o melhor de mim.

Foi nessa época que um sujeito bastante engraçado entrou no time: Odair Patriarca, que jogava como lateral direito. Ele era um cristão fervoroso, que logo passou a frequentar as reuniões dos chamados Atletas de Cristo, um grupo de esportistas cristãos que se reunia na garagem da casa que Nelsinho Baptista tinha alugado na cidade.

Havia algo em Odair que chamava a minha atenção. Ele era uma pessoa feliz e muito carismática. Seu comportamento era exemplar e sempre muito elogiado por todos. Odair sempre ficava em primeiro lugar, fosse em uma corrida de dez quilômetros, fosse na preparação para os treinamentos. As atividades exigiam que estivéssemos de pé muito cedo, mas ele nunca chegava de cara feia ou reclamando; pelo contrário, mostrava motivação contagiante. Dono de uma voz singular, animava todos durante as viagens de ônibus. Até hoje me pego dando risadas ao recordar-me de seus momentos humorísticos. O bom-humor daquele sujeito fazia a equipe se alegrar. Era muito bom tê-lo por perto.

Ao ver a minha angústia em meio à fé vacilante e às inúmeras superstições, Odair me convidou muitas vezes para ir às reuniões dos Atletas de Cristo. Eu, porém, recusava os convites. Até que, sem graça por viver recusando, relutantemente decidi ir ao culto que realizavam.

As palavras daquele homem falaram tão fortemente ao meu coração que, quando voltei ao meu quarto, na concentração do Novorizontino, me desfiz de todas as imagens e fiquei apenas com a Bíblia. Desse dia em diante, decidi conhecer mais sobre aquele Deus de que os evangélicos falavam.

Logo na primeira reunião, o pastor pregou sobre idolatria, a adoração aos ídolos e não a Deus. As palavras daquele homem falaram tão fortemente ao meu coração que, quando voltei ao meu quarto, na concentração do Novorizontino, me desfiz de todas as imagens e fiquei apenas com a Bíblia. Desse dia em diante, decidi conhecer mais sobre aquele Deus de que os evangélicos falavam.

Pouco tempo antes, nas férias de fim de ano de 1989, Merly e eu havíamos decidido nos casar. A celebração aconteceu no dia 27 de dezembro, na Igreja Nossa Senhora do Brasil, uma tradicional igreja católica no bairro Jardim América, zona oeste de São Paulo. Na mesma semana, nos casamos em um terreiro de umbanda, também na capital.

Ao ler a Bíblia, orar e ouvir a pregação, fui sentindo o profundo amor de Deus e conhecendo seus planos maravilhosos para a minha vida. Entendi o sacrifício de Jesus na cruz e o plano de redenção, que consistia em arrepender-me de meus pecados, confessá-los a Deus, receber Jesus como Senhor de minha vida e meu Salvador pessoal e desfrutar de seu perdão e cuidado por todos os dias de minha vida. Aprendi que Deus me amou a ponto de entregar seu Filho para me salvar, sem que eu merecesse. Decidi viver em sua luz, deixando-me aperfeiçoar pela ação do Espírito Santo. Depois de confessar Jesus Cristo como meu Senhor e Salvador, tive certeza de que eu havia sido adotado como filho de Deus. Decidi, assim, romper com toda prática religiosa que não se adequava ao puro ensino da Bíblia de acordo com o entendimento do cristianismo protestante.

Com a conversão, senti paz. Nasci de novo! Comecei a experimentar uma renovação no modo de pensar e de agir, o que refletiu em minha *performance* em campo. Revigorado pela fé, eu me esforçava para fazer o melhor, tendo como principal objetivo glorificar a Deus por meio do esporte. Com isso, os resultados positivos apareceram e pude vivenciar uma transformação radical. Compreendi que minha vida fazia parte de um propósito muito maior, dos planos de um Deus bom, que me amava e me dava talentos e habilidades que deveriam ser utilizados da melhor forma possível.

Passei a jogar tão bem que, vestindo a camisa do Novorizontino, cheguei à final do Campeonato Paulista de 1990. O jogo ficou conhecido como a primeira final caipira do estado de São Paulo: Novorizontino *versus* Bragantino. Nosso adversário tinha vantagem nos pontos e foi campeão, mas o resultado não nos abateu. Fizemos o melhor e fomos reconhecidos por nosso esforço.

Em um período de, aproximadamente, seis meses desde que comecei a ir às reuniões dos Atletas de Cristo, minha vida mudou completamente. De jogador desacreditado passei a ser respeitado. Ao término do empréstimo, ninguém queria que eu deixasse o Novorizontino. Deus havia iniciado uma revolução em minha vida.

Rumo à seleção

Pouco antes de voltar ao Corinthians, o Palmeiras entrou em contato comigo, fazendo-me uma excelente proposta salarial. Como meu contrato com o Corinthians não estava renovado, senti que talvez aquela fosse uma boa oportunidade.

Nesse período, algo muito bom aconteceu: Nelsinho Baptista e Trevisan foram contratados pelo Corinthians. Agora, o técnico e o preparador físico do Novorizontino poderiam me acompanhar no timão. Nelsinho, como sempre, me fez avaliar a proposta do Palmeiras com sabedoria. Ele me disse: "Paulo, o pouco hoje será muito amanhã. Permaneça e vamos tentar ser campeões". Acatei o conselho de meu técnico e amigo e tive uma temporada excelente. Fui titular na maioria dos jogos e meu desempenho foi elogiado. Eu era muito versátil em campo e cheguei a atuar em várias posições, como ponta-direita, ponta-esquerda, centroavante, meia e volante.

O Corinthians chegou à final do Campeonato Brasileiro de 1990 em uma vitória de 1x0 contra o São Paulo e recebeu o título que entrou para a história do time: seu primeiro Brasileirão. Essa conquista veio para coroar aquele ano, que foi muito bom: no campo profissional, disputei duas finais, em duas equipes diferentes, Novorizontino (agosto) e Corinthians (dezembro), e consegui projeção nacional e aprovação da mídia e dos torcedores. No campo espiritual, aquele foi o ano em que me converti ao evangelho e passei a investir em minha comunhão com Deus.

Em 1991, o técnico Cilinho chegou ao clube. Sua atuação me marcou positivamente. Dono de uma estimulante perspectiva em relação à vida e ao esporte, ele sempre presenteava o melhor jogador do time com um livro que falasse sobre motivação, superação e alcance de objetivos. Às vezes, antes de ir para a concentração, ele levava toda a equipe ao teatro. Dessa forma, inseria todos em um contexto cultural muito rico, o que refletia em nossa qualidade em campo. Creio que todo atleta deve abrir a mente para experimentar a cultura em suas diferentes expressões. Isso amplia o campo de visão e faz o esportista ver além, mostrando-lhe que pode fazer de sua atuação uma arte que encantará muitos.

Com essa guinada em minha vida profissional, passei a projetar algo além: atuar na Seleção Brasileira. O sonho se tornou realidade ainda em 1991, quando recebi a convocação de Carlos Alberto Parreira, na época técnico da seleção, para comparecer à Confederação Brasileira de Futebol (CBF), na Granja Comary, em Teresópolis (RJ). Ele queria que eu defendesse a camisa verde e amarela em alguns amistosos. A notícia foi recebida com muito entusiasmo por todos de minha família e eu fiquei extremamente grato a Deus pela oportunidade que me estava sendo concedida.

Quando são convocados, os jogadores devem comparecer à sede da CBF vestindo traje social. Eu nunca havia comprado um terno, afinal, não era sempre que precisava usar aquele tipo de roupa. Meu primeiro terno foi de cor vinho, um presente que ganhei de Jassa, um amigo estilista. Já os sapatos vinhos e brilhosos foram presente de minha mãe.

> *O sonho se tornou realidade ainda em 1991, quando recebi a convocação de Carlos Alberto Parreira, na época técnico da seleção, para comparecer à Confederação Brasileira de Futebol (CBF), na Granja Comary, em Teresópolis (RJ). Ele queria que eu defendesse a camisa verde e amarela em alguns amistosos.*

Pronto e animado com o que estava por vir, embarquei no avião e parti rumo à realização de um sonho. Não fui piloto de aeronaves, mas outro sonho igualmente difícil tinha acontecido: jogar pela Seleção Brasileira! Nem sempre aquilo que pensamos ser o melhor é de fato o melhor. Temos de fazer a nossa parte e entregar os cuidados a Deus, pois só ele conhece o futuro — e pode nos surpreender.

Em função das excelentes *performances* que tinha a cada jogo, a imprensa e os torcedores faziam bons comentários a meu respeito. Meu nome era unânime em projeções para as novas convocações. Parreira também passou a confiar em mim e, dessa forma, participei de diversas partidas pela seleção nos anos seguintes.

Em fevereiro de 1991, nasceu meu primeiro filho, Luiz Felipe, e, em outubro de 1992, minha filha, Ana Caroline. Nesse período, saí da casa de minha mãe e comprei um apartamento no bairro de Casa Verde, zona norte de São Paulo, uma residência simples, mas própria. Essa foi a melhor decisão que Merly e eu poderíamos tomar, já que passamos a comandar nosso espaço, tornando-nos totalmente independentes.

Foi nesse período que o Senhor tocou profundamente o coração de minha esposa e ela se converteu à fé cristã protestante. Deus restaurou nosso casamento, que estava em crise devido à minha infidelidade conjugal, pois o Espírito Santo tocou minha consciência, experimentei profundo arrependimento e tomei a decisão de cuidar de minha família como algo extremamente sagrado. Passei a tratar minha esposa como uma verdadeira joia que Deus tinha confiado a mim. A conversão de Merly foi linda e visível a todos, mesmo que ela tenha resistido num primeiro momento.

Passamos, então, a frequentar as reuniões de oração na casa do pastor Gerson, ligado à igreja Monte Santo, em Bauru (SP). Os cultos domésticos aconteciam duas vezes por semana, em uma residência na Vila Mariana. Muitos integrantes dos Atletas de Cristo compareciam às noites de culto. Era um momento muito gostoso de aprendizado e comunhão com os amigos.

Com o tempo e o aprendizado dos princípios cristãos em relação à vida conjugal e familiar, meu lar passou a ser permeado com alegria e contentamento, o que refletiu positivamente na criação de alicerces fortes que nos sustentariam para os desafios à frente — desafios que não seriam nem um pouco fáceis.

A atuação de Paulo Sérgio na Europa foi marcada por muitas conquistas, como o triunfo no campeonato alemão, na Supercopa, Champions League, e no Mundial de Clubes, pelo Bayern de Munique.

3 RUMO À EUROPA

O ano de 1993 foi marcante e um dos melhores de minha carreira de jogador. O Corinthians chegou à final do Campeonato Paulista — o Paulistão, um dos mais importantes eventos esportivos do Brasil — e pude desenvolver em campo diversas habilidades que seriam fundamentais em minha jornada profissional. Eu entendia a importância de vestir a camisa alvinegra e procurava honrar da melhor forma possível a oportunidade que me estava sendo concedida. Por isso, esforçava-me para aprimorar técnicas e manter o foco em bons resultados.

A final do Campeonato Paulista de 1993 foi um clássico entre o Corinthians e o Palmeiras, no emblemático estádio do Morumbi. Já tínhamos nos enfrentado ali, em 6 de junho daquele ano, e vencemos por 1x0. Agora, uma semana depois, nos enfrentávamos para definir quem levaria o título de campeão pela soma de pontos. A casa estava lotada de torcedores ansiosos por ver a disputa entre dois gigantes do futebol nacional. No vestiário, enquanto esperava o início da partida, o eco dos gritos de guerra da torcida fazia o meu coração tremer de euforia. Eu sabia que, além dos presentes ao estádio, outros milhares de torcedores espalhados por casas, bares, restaurantes e estabelecimentos comerciais estariam ligados em cada lance. Todos os integrantes da equipe tinham ciência de que estávamos conectados a uma multidão de palmeirenses, corintianos e torcedores de outros times.

Nos dias entre o primeiro e o segundo jogo da decisão, a imprensa alimentou uma grande rivalidade entre Edmundo, que vestia a camisa 7 do Palmeiras, e eu, que vestia a camisa 7 do Corinthians —, algo que eu acreditava ser natural, já que os dois times estavam no auge. Jamais quisemos despertar qualquer tipo de mau comportamento entre os torcedores ou incitá-los à violência, apenas apimentávamos o clima de competição natural que há no esporte. Um bom torcedor jamais deve envolver-se em confusão, mas, sim, honrar seu time por meio do bom comportamento e do espírito esportivo. Pancadaria e confusão não combinam com a essência do esporte, um entretenimento que deve ser desfrutado por pequenos, jovens e adultos. É muito triste ver que, em muitas ocasiões, pais deixam de levar os filhos aos estádios com medo de algum tumulto. Dias de jogo deveriam ser ocasiões para reunir a família e aproveitar bons momentos na arquibancada, enquanto torcem pelos jogadores.

Se você é amante do esporte, preze para conciliá-lo com uma atitude de respeito, inclusive em relação ao adversário. Nem sempre ganhamos, e saber enfrentar a derrota é fundamental na vida. Assim como no futebol, na disputa da vida há dias em que levamos as medalhas para casa e outros em que chegamos abatidos e derrotados. O importante é que, em todas as ocasiões, devemos tirar lições das circunstâncias, crescendo e amadurecendo.

A rivalidade entre Edmundo e eu veio à tona em campo. Aos 41 minutos do primeiro tempo, quando o Palmeiras vencia por 1x0, ele me deu um carrinho bastante violento, o que lhe rendeu um cartão amarelo. Até hoje esse lance é comentado entre os torcedores e rememorado pela mídia. Se aquele carrinho pegasse em cheio minhas pernas, talvez tivesse sérios problemas para continuar jogando futebol. Graças a Deus, nada mais sério aconteceu. O Palmeiras ganhou por 4x0 e voltamos para o Parque São Jorge com o título de vice-campeões. Perder um campeonato não é fácil, ainda mais com esse placar, mas há lições preciosas que podemos aprender nos momentos de derrota. Gostaria de destacar três delas.

Primeiro, *jamais pense que a derrota é o ponto final*. Independente das circunstâncias, há a possibilidade de dar a volta por cima e obter novas conquistas. Grandes personalidades, inclusive times memoráveis, já sofreram derrotas duríssimas. O que fizeram? Desistiram e entregaram os pontos? Não! Arregaçaram as mangas e superaram as dificuldades. O Corinthians não parou na derrota contra o Palmeiras em 1993, mas buscou um novo patamar de excelência e tática. De lá para cá, o timão ganhou pelo menos 21 títulos: O Campeonato Paulista, em 1995, 1997, 1999, 2001, 2003, 2009, 2013 e 2017; a Taça Rio-São Paulo, em 2002; a Copa do Brasil, em 1995, 2002 e 2009; o Campeonato Brasileiro, em 1998, 1999, 2005, 2011, 2015 e 2017; a Recopa Sul-Americana, em 2013; a Libertadores, em 2012; e o Mundial FIFA Interclubes, em 2000 e 2012.

Segundo, *aprenda com a derrota*. Perder pode ser o primeiro passo para enxergar que nossa tática não está correta, que é preciso corrigir o esquema e redefinir o jogo. Se, ao olhar para trás, você perceber que seus passos não foram acertados, não desanime. É sempre tempo de recomeçar. Reavalie suas potencialidades e refaça seu planejamento. Seja comprometido e cuidadoso, sem deixar de observar suas fragilidades de forma honesta. Refeito o plano, faça o seu melhor e não desanime caso o progresso seja lento. Você poderá se surpreender com os bons resultados!

Terceiro, *encare a derrota como uma oportunidade para desenvolver a humildade*. Muitas pessoas não sabem estar em outro lugar senão no pódio. É claro que é sempre bom estar no topo, ser o melhor e ganhar os aplausos. O problema é quando isso abre espaço para o orgulho e a arrogância, posturas perigosíssimas para qualquer ser humano, especialmente um atleta. Encare o momento de revés como circunstância propícia para a autoanálise, admitindo que você é um ser humano limitado como qualquer outro. Aproveite cada experiência, extraindo das circunstâncias as lições de vida que o tornarão mais sábio com o passar dos anos. A sabedoria bíblica diz que "a humildade precede a honra" (Pv 15.33) e que "A humildade e o temor do Senhor trazem riquezas, honra e vida longa" (PV 22.4). Recebemos grandes dividendos quando desenvolvemos humildade.

Bayer Leverkusen

Alguns dias depois da final do Paulistão, a direção do Corinthians entrou em contato comigo para me dar uma boa notícia: os dirigentes do time alemão Bayer Leverkusen tinham mostrado interesse em me contratar. O clube estrangeiro possuía grande credibilidade no futebol europeu e contava com grandes talentos no esporte. Eu tinha diante de mim a oportunidade singular de jogar na Europa, o que abriria espaço para uma nova fase em minha carreira.

Eu soube que os alemães nutriam grande expectativa para que eu aceitasse o convite de entrar para o clube, o que me deixou muito contente. Havia motivo adicional de alegria: atuar naquele importante time significava ganhar um salário cerca de dez vezes maior. Se aceitasse, deveria participar de todas as disputas do Campeonato Alemão, a Bundesliga, e de todos os jogos que acontecessem na temporada. Isso significava que eu não poderia vestir a camiseta verde e amarela por um período de aproximadamente seis meses, já que deveria estar totalmente dedicado ao Bayer Leverkusen.

Cheguei em casa e conversei com minha esposa e meus familiares. Todos ficaram entusiasmados com a novidade, embora receosos. Aceitar a proposta acarretaria uma guinada radical em nossa rotina, já que deveríamos morar na Alemanha, sendo que teríamos pouco mais de trinta dias para realizar toda a mudança. Merly e eu entramos em oração e pedimos conselhos para parentes e bons amigos. Eles nos ajudaram com palavras de encorajamento naquele momento crucial.

Procurar bons conselhos é um princípio bíblico importante, que pode nos ajudar a evitar más decisões. O rei Salomão, conhecido por sua sabedoria sem igual, escreveu no livro de Provérbios: "Sem uma liderança sábia, a nação cai; ter muitos conselheiros lhe dá segurança" (11.14); "Planos fracassam onde não há conselho, mas têm êxito quando há muitos conselheiros" (15.22); "[...] com muitos conselheiros se obtém a vitória" (24.6). Seguimos a orientação da Bíblia e procuramos identificar pessoas idôneas, com as quais pudéssemos nos aconselhar. E foi isso que fizemos.

Merly ficou muito preocupada com a mudança. Luiz Felipe e Ana Caroline, meus filhos, ainda eram muito pequenos. Além disso, não falávamos uma palavra sequer em alemão. Como seria ficar

Como seria ficar longe da família, da igreja, do clima quente e tropical do Brasil? Como seria estar sozinhos em um país estrangeiro, muito diferente de nossa terra natal? Os conselhos dos amigos e a oração nos deram paz suficiente para tomar a decisão de ir para a Alemanha.

longe da família, da igreja, do clima quente e tropical do Brasil? Como seria estar sozinhos em um país estrangeiro, muito diferente de nossa terra natal? Os conselhos dos amigos e a oração nos deram paz suficiente para tomar a decisão de ir para a Alemanha. Inclusive, a vinda de Reiner Calmund, *manager* do

Bayer Leverkusen, me serviu de sinal de que tudo estava cooperando para o nosso bem.

Nessas ocasiões, o atleta tinha de ir ao outro país para fazer os exames médicos pré-admissionais. Eu havia conversado com Deus, dizendo-lhe que queria que o médico viesse para o Brasil. Se isso acontecesse, dizia eu, me serviria como um sinal. Para minha surpresa, o *manager* e o médico vieram especialmente para me avaliar. Ponderei em meu coração tudo o que estava acontecendo. Todas as circunstâncias me faziam crer que eu estava na direção certa, isto é, que deveria me mudar para a Alemanha.

Minha esposa e eu fizemos uma rápida visita a Leverkusen e gostamos muito, pela beleza da cidade e pelo encanto da paisagem. O município alemão, que cresceu em torno da fábrica da multinacional farmacêutica Bayer, transmitia uma tranquilidade cativante, o que nos animou, pois víamos que aquele agradável lugar seria muito bom para nossa família. Além disso, meu passe renderia uma excelente quantia em dinheiro para o Corinthians, time que admirava e admiro até hoje. Com o valor recebido pela minha contratação, a direção do Corinthians conseguiria fazer bons investimentos em novos talentos. Diante de tudo isso, decidi aceitar a proposta.

Agora, era dar até logo a São Paulo e embarcar rumo a novos horizontes.

Chegada à Alemanha

Quando chegamos a Leverkusen, ainda não tínhamos um apartamento alugado, por isso, ficamos por aproximadamente um mês em um quarto de hotel. Esse começo não foi nada fácil, pois seis pessoas tinham de conviver naquele ambiente apertado: minha esposa, eu, dois filhos pequenos, uma ajudante que levamos do Brasil e Heinz Preweltz, tradutor contratado pelo Bayer Leverkusen, que ficava conosco a maior parte do tempo.

Heinz foi um verdadeiro pai para nós e uma figura fundamental em nossa adaptação. Já um sessentão, era um ótimo profissional que vivia entre a Alemanha e o Brasil, atendendo aos jogadores internacionais. Ele amava o nosso país e estabelecera sua família aqui. Sua vida não era fácil, pois ficava longos meses longe dos filhos e da esposa, a fim de trabalhar como tradutor em sua terra natal. Muito prestativo, dedicava bom tempo para ajudar Merly, pois ela tinha muita dificuldade na interlocução com os nativos, especialmente quando precisava fazer algum pedido de refeição para as crianças.

Certa vez, desesperada, Merly entrou na cozinha do hotel com duas mamadeiras na mão pedindo leite de vaca para os chefes. Lá, eles tinham o costume de utilizar apenas leite em pó, mas as crianças não se adaptavam ao novo paladar. De alguma forma, os funcionários conseguiram captar o que minha esposa queria dizer e atenderam ao seu pedido de socorro. Eles aprenderam que os pedidos para o nosso quarto tinham de ser feitos à *la* brasileira, especialmente o leite das crianças, que tinha de ser com leite de vaca. Todos nos atendiam muito bem e eram extremamente educados. Para evitar apuros, Heinz dividia seu turno como tradutor entre as necessidades de Merly e as minhas.

A hospitalidade é um princípio bíblico que todos os seres humanos deveriam seguir (Hb 13.2). Heinz o fazia com mérito. Ele nos apresentou a amigos que logo se apegaram a nós, como os queridos Anke e Michael, casal com quem estabelecemos amizade e na companhia de quem passávamos ótimos momentos de descontração. Naquele início, também conheci Stefan Grünwald e sua esposa, amigos com quem fizemos vários passeios, para locais como Colônia, Düsseldorf e Bruxelas. Deus nos presenteou com amigos que nos acolheram e nos ajudaram e, com isso, aprendi o valor da amizade e a importância de me conectar a outras pessoas.

Se quisermos ser bem-sucedidos em todas as áreas da vida, seja pessoal, seja profissional, seja espiritual, é fundamental criar e manter bons laços de companheirismo e fraternidade com aqueles que nos cercam, pois não fomos criados para viver sozinhos. Jamais podemos pensar que não precisamos dos outros. Todos somos interdependentes e necessitamos de um ombro amigo. Não há quem consiga viver solitário.

Diante disso, eu lhe pergunto: como estão os seus laços de amizade? Como é seu comportamento diante daqueles que o rodeiam? Você sabe estender a mão e mostrar empatia? É hospitaleiro? Sabe conectar-se às pessoas? Valorize a hospitalidade e o estabelecimento de boas amizades. Pratique esses princípios ecolha bons frutos.

SUPERANDO AS DIFICULDADES

Foi a amizade que estabeleci com o *manager* do time, Reiner Calmund, que me ajudou a persistir em um momento de estresse que passei no Bayer Leverkusen, após perder um pênalti em um dos jogos que tivemos na temporada entre 1993 e 1994.

Quando chegamos ao vestiário, um dos jogadores do time começou a brigar comigo, esbravejando em alemão. Eu não fiquei atrás e comecei a responder-lhe em português. O clima ficou realmente tenso entre nós. Fiquei chateado com a discussão e pensei em desistir de tudo e voltar para o Brasil. Com isso, decidi conversar seriamente com Calmund. Ele me ouviu com paciência e demonstrou preocupação com meu estado emocional. Com firmeza, pediu que eu repensasse a decisão e me animou a enxergar a situação com mais clareza. Foi o que fiz. De cabeça fria e refeito da discussão, decidi permanecer. Graças a Deus, tudo se acalmou.

É impressionante como uma conversa pode ser decisiva em um momento de tensão e esgotamento. Uma boa palavra pode nos tirar do torpor gerado pela pressão de uma briga e pelo consequente desânimo. Eu recomendo: tenha o costume de conversar com seus entes queridos ou amigos mais chegados sobre o que o aflige; isso fará grande diferença. Sei que meu comportamento não foi adequado, pois a melhor forma de lidar com a ignorância alheia é não pagar com a mesma moeda.

A Bíblia diz que a resposta gentil desvia o furor, mas a palavra ríspida desperta a ira (Pv 15.1). Não tive uma postura branda e, por isso, aticei a raiva de meu colega. Tentei falar mais alto e só colhi frustração pelo atrito gerado com um membro da equipe.

É impressionante como uma conversa pode ser decisiva em um momento de tensão e esgotamento. Uma boa palavra pode nos tirar do torpor gerado pela pressão de uma briga e pelo consequente desânimo.

Isso, obviamente, não quer dizer que devemos ser apáticos diante de uma injustiça. Nada disso! Devemos, porém, ser inteligentes e não dar demasiada importância a um momento de estresse passageiro. Nessas circunstâncias, a melhor atitude a tomar é esperar a poeira baixar e conversar civilizadamente.

Cheguei em casa e desabafei com Merly. Entramos em oração e decidimos que, daquele dia em diante, nos esforçaríamos para aprender a língua e a cultura locais. A partir desse dia, tudo passou a fluir de outra maneira.

Bernd Schuster, um jogador do time, estendeu-me a mão e passou a me ajudar dentro do possível na interlocução com os outros membros da equipe. Ele já tinha jogado no Barcelona e no Real Madrid e entendia o que significava estar em um time estrangeiro. Schuster, que falava espanhol, via na proximidade do idioma com o português uma oportunidade de conversar comigo. Sou grato a esse bom colega de trabalho pelo empenho e pela dedicação que teve em me ajudar. Na ocasião, eu era o terceiro jogador internacional contratado, os outros dois eram um tcheco e um romeno.

Outra dificuldade que enfrentei foi o frio. Costumo dizer que a neve é visualmente bonita, mas de difícil convivência! Para quem viveu a vida inteira em regiões com temperatura média acima dos vinte graus Celsius, acostumar-se com temperaturas baixíssimas é um desafio e tanto. Após as nevascas, não podíamos ficar em casa curtindo os cobertores ou a lareira, pois precisávamos ir ao trabalho, o que significava retirar toda a neve que ficara depositada em nossa calçada. Se alguém escorregasse e se machucasse, o governo obrigava o dono da casa em cuja calçada ocorreu o acidente a pagar indenização. Como sentia falta do clima tropical brasileiro!

O clube alugou uma casa para nós no bairro de Fettehenne, uma comunidade bem instalada em uma zona próspera de Leverkusen. Também passamos a usufruir de um carro disponibilizado pelo time. As crianças foram para uma escola internacional e, em pouco tempo, já pronunciavam suas primeiras palavras em alemão. Em questão de meses, Luiz Felipe tornou-se nosso maior intérprete quando precisávamos de ajuda no supermercado ou em algum estabelecimento comercial. Merly e eu passamos a ter aulas intensivas de alemão e, assim, começamos a nos sentir mais à vontade. Brasileiros afeitos à feijoada, nos acostumamos também à culinária local. Passei a comer verduras, linguiça e a tomar sopa com mais frequência. Tudo estava mais tranquilo e um vento de estabilidade começara a soprar sobre nós.

A firme resolução de conhecer a língua e a cultura locais foram fundamentais para diminuir nosso sofrimento. Quem deseja ter sucesso diante de um novo cenário deve seguir essa estratégia, procurando compreender como as pessoas que vão conviver com você pensam e enxergam o mundo. Perceba como seus colegas se comportam, se vestem e se comunicam. Sem perder sua identidade, procure formas de conectar-se a eles, diminuindo as possibilidades de haver ruídos na comunicação entre vocês. Se todos são extremamente pontuais, por exemplo — realidade que aprendi com os alemães —, não chegue atrasado, nem um minuto sequer. Se o seu chefe preza por uma boa vestimenta em local de trabalho, não queira chegar ao escritório de forma relaxada. Tenha bom senso e aprenda por meio da observação, absorvendo os costumes. Dessa forma, sua adaptação será mais tranquila e as pessoas terão mais confiança em você.

CONQUISTAS PELO BAYER LEVERKUSEN

O campeonato alemão começou no dia 6 de agosto de 1993 e estendeu-se até 7 de maio de 1994. Gosto muito de relembrar esse período, pois, a despeito das dificuldades de adaptação, meu desempenho em campo estava impecável. Eu jogava na ponta-direita e na ponta-esquerda e fazia bons dribles entre uma jogada e outra. Fiz dezessete gols na temporada e fui ovacionado pelos alemães.

Era interessante ver os técnicos pedindo aos jogadores que fizessem marcação cerrada em mim durante as partidas. Foi nessa fase também que fiz o considerado gol do ano, em uma partida contra o Colônia. Dessa forma, no fim do primeiro ano, meu contrato foi prorrogado por mais dois, totalizando quatro anos de atuação no Bayer Leverkusen.

Na temporada 1995-1996 do campeonato alemão, o Bayer Leverkusen não teve uma atuação muito boa e quase caiu para a segunda divisão. Foi um período difícil para todo o time. Eu também não consegui desempenhar tudo o que podia nessa fase, pois o técnico naquela época, Erich Ribbeck, havia me colocado como ala, posição que estranhei bastante. Seu esquema tático ao meu ver não era bom, fato que refletiu seriamente nos resultados da equipe.

Já na temporada 1996-1997, a chegada do técnico alemão Christoph Daum animou todos os jogadores e levou o time a um novo patamar. Ele conversava muito comigo e me motivava a ir além. Christoph dizia: "Paulo, quero que você seja *o cara* aqui!". Fiquei empolgado com o novo esquema tático e com o clima de superação que tomava conta de cada membro da equipe.

Terminamos a temporada como vice-campeões da Bundesliga e, nesse período, fiz novamente 17 gols.

Durante aqueles anos, minha família e eu vínhamos ao Brasil nas férias, geralmente nos meses de janeiro e julho. Em períodos de trabalho, tinha de estar totalmente imerso nos jogos que se alternavam entre o campeonato alemão, a Copa da União das Federações Europeias de Futebol (UEFA) e a Supercopa, três das principais competições de futebol da Europa. Quando os parentes iam à Alemanha, aproveitávamos ao máximo para matar as saudades e colocar a conversa em dia.

Enquanto morei em Leverkusen, Merly, meus filhos e eu não frequentávamos uma igreja, mas não deixamos de nos reunir com irmãos na fé. Foi nessa época que uma pequena comunidade se formou em minha casa. Sempre que possível, um grupo de cerca de cinquenta pessoas, a maioria brasileiros, se reunia conosco para cultuar a Deus. Um pastor, natural da Alemanha, mas que falava português, costumava pregar, enquanto cantávamos e dividíamos nossas experiências. Jorge de Amorim Campos, mais conhecido como Jorginho, jogador da Seleção Brasileira que já tinha morado em Leverkusen e havia sido transferido para o Bayern de Munique, se tornou um grande amigo e nos ajudava a estabelecer contato com pessoas que moravam na região. A união com amigos de fé serviu de alicerce sólido em nossa vida espiritual.

Sempre que possível, um grupo de cerca de cinquenta pessoas, a maioria brasileiros, se reunia conosco para cultuar a Deus. [...] A união com amigos de fé serviu de alicerce sólido em nossa vida espiritual.

Zelávamos por manter a mente e o espírito nutridos com a Palavra de Deus. Por essa razão, sempre que vínhamos ao Brasil, íamos até o centro de São Paulo para comprar diversas fitas VHS, livros, cassetes, entre outros materiais, para que pudéssemos ser edificados por meio de sermões e ensinos baseados na Bíblia.

Dessa forma, minha família tinha alimento espiritual saudável para crescer na fé e no amor de Cristo.

A Bíblia diz que é feliz aquele que tem prazer na lei do Senhor e nela medita dia e noite (Sl 1.1-2). Merly e eu fazíamos o possível para compartilhar as Escrituras com nossos filhos, a fim de que nosso lar fosse permeado pela verdade da Palavra de Deus. Sabíamos que esse era o melhor investimento que poderíamos fazer para o nosso futuro. Se você deseja investir em sua família, não pense apenas em termos financeiros, vá além! Invista em valores e princípios. A Bíblia está repleta deles e é fonte de sabedoria para quem deseja viver bem e feliz. As palavras de Provérbios esclarecem essa verdade: "Adquirir sabedoria é a coisa mais sábia que você pode fazer; em tudo o mais, aprenda a ter discernimento. Se você der valor à sabedoria, ela o engrandecerá; abrace-a, e ela o honrará" (Pv 4.7-8).

Rumo a Roma

O Bayer Leverkusen não renovou contrato comigo em 1997, o que permitia minha contratação por outro clube sem a necessidade de pagamento por um passe. A Associazione Sportiva Roma foi quem se interessou por mim. Ainda nos primeiros meses do ano, assinei um pré-contrato, no qual garantia estar em terras italianas no segundo semestre. Merly e meus filhos gostaram da novidade, assim como os parentes e amigos. Eu também fiquei animado com a contratação, pois já alimentava o sonho de atuar em um time italiano.

Grandes jogadores brasileiros já haviam passado pela Itália, como Sócrates, Zico, Branco e Careca, e eu via no convite a oportunidade de deixar uma marca positiva no Roma, time muito prestigiado no futebol europeu. Dessa forma, no início do segundo semestre de 1997, nos mudamos para um apartamento alugado em EUR, um bairro romano bem projetado e tranquilo para viver com a família.

As crianças foram matriculadas em um colégio católico e Merly e eu tratamos de entender bem o italiano, o que não foi tão difícil, pois visitávamos com frequência alguns restaurantes italianos na Alemanha e sentíamos facilidade com o idioma.

Cafu, grande nome do futebol brasileiro, foi jogar no Roma na mesma época. Ao chegarmos a Trigória, onde estava o centro de treinamento do clube, nos chocamos com uma frase que havia sido pichada em um muro. Ela dizia, em italiano: "Fora Cafu, fora Paulo Sérgio. Roma é apenas de brancos". Estranhamos que aquele ato tivesse sido realizado pelos torcedores do Roma, pois estávamos sendo ovacionados e sabíamos que nos aguardavam com expectativa. As suspeitas foram confirmadas, pois fomos muito bem recebidos e os próprios torcedores nos informaram que a pichação fora feita por torcedores da rival Società Sportiva Lazio.

Meu começo no Roma não foi bom e pensei em voltar ao Brasil diversas vezes. Foi nessa época que Nelsinho Baptista, que havia sido meu técnico no Novorizontino, me dava forças e bons conselhos. As conversas com ele eram edificantes e me enchiam de novo ânimo para enfrentar com coragem aquela fase turbulenta nos gramados. Àquela altura, eu já tinha certa experiência com altos e baixos e concentrei-me em superar o momento ruim.

Logo na primeira temporada do campeonato italiano, fiz doze gols e terminei o período como vice-artilheiro, tornando-me figura importante do elenco de jogadores. O técnico Zdenek Zeman me escalou como ponta-direita em seu esquema tático e colocou-me como titular em todas as partidas da temporada: trinta e quatro vezes no Campeonato Italiano de Futebol, conhecido como Série A, e seis vezes na Coppa Italia. Meu resultado em campo foi excelente, com um total de quatorze gols, doze deles no Campeonato Italiano. Ao final daquele ano, renovaram meu contrato para mais dois anos, num total de quatro.

Na segunda temporada do campeonato italiano, entre 1998 e 1999, também fiz doze gols, atuando pela faixa direita do ataque. Isso me deu prestígio entre os torcedores e a mídia. A equipe, no entanto, não rendeu o esperado e terminou o campeonato na quinta colocação.

DE VOLTA À ALEMANHA: BAYERN DE MUNIQUE

Em meados de junho e julho de 1999, recebi duas propostas para voltar à Alemanha. Uma feita pelo Bayern de Munique e outra pelo Borussia Dortmund. O Bayern de Munique ofereceu-me o dobro do que eu ganhava no Roma, e o Borussia Dortmund, o dobro do que eu ganharia no Bayern de Munique. Eu, obviamente, fiquei animado com a projeção que ganhara entre os grandes times europeus.

Decidi ir ao Bayern de Munique, pois, em uma conversa com Uli Hoeneß e Karl-Heinz Rummenigge, dois importantes dirigentes do clube, acertamos todas as bases salariais e, com um aperto de mão, finalizamos o combinado de eu ir jogar no time, sem assinar nenhum papel. Considerei aquele gesto como o selo de um compromisso e, mesmo com um possível prejuízo, visto que a proposta do Borussia Dortmund era duplamente maior, não voltaria atrás e cumpriria a minha palavra.

A Bíblia fala sobre a importância de sermos fiéis àquilo que falamos. Quando dizemos "sim", é justamente isso o que deve ser interpretado: como *sim* e não como um *talvez* ou um *não*. Já quando dizemos "não", todos devem ter certeza de que somos contundentes em nossa colocação, sem agir de forma duvidosa. "Quando disserem 'sim', seja de fato sim. Quando disserem 'não' seja de fato não" (Mt 5.37), nos ensinou Jesus Cristo.

A Bíblia fala sobre a importância de sermos fiéis àquilo que falamos. Quando dizemos "sim", é justamente isso o que deve ser interpretado: como sim *e não como um* talvez *ou um* não.

Meu passe custou doze milhões de marcos, o que foi interessante para o Roma e para mim. Afinal, minha contratação estava muito valorizada. Nessa fase, comecei a construir a casa onde moro até hoje no Brasil e a esboçar planos de estabilidade para o futuro.

Cerca de quarenta dias depois, Merly, Luiz Felipe, Ana Caroline e eu já estávamos morando em Munique, em um bairro classe alta chamado Grünwald. Eu estava entusiasmado com a entrada no Bayern, principalmente pelo fato de vislumbrar uma possível atuação na Liga dos Campeões da UEFA. O campeonato, cujo troféu é o mais cobiçado do futebol europeu, reúne os times que tiveram as melhores classificações nos torneios domésticos. Um sonho que se tornou possível.

Durante os três anos em que permaneci no time bávaro, experimentei uma fase de conquistas importantíssimas em minha carreira. No primeiro ano, fomos campeões do campeonato alemão da temporada 1999-2000 e da Supercopa; e, na temporada 2000-2001, fomos campeões da Champions League e do Mundial de Clubes. Nesse período, tive o privilégio de ser considerado um dos principais jogadores da Alemanha. Na temporada 2001-2002 fomos novamente campeões do campeonato alemão.

Ao final dos três anos, não renovei contrato. Naquela ocasião, queria desbravar novas possibilidades dentro do futebol, o que me levou a uma terra em que jamais pensei estar. Dividirei essa experiência mais adiante. Antes, porém, quero compartilhar um acontecimento marcante em minha trajetória como jogador e como brasileiro: a participação na Copa do Mundo de 1994.

Paulo Sérgio ergue a taça do tetracampeonato brasileiro na Copa do Mundo de futebol, em 1994.

4 Campeão do mundo

Já fazia vinte e quatro anos que o Brasil não levava para casa a cobiçada taça da Copa do Mundo de Futebol. O tricampeonato acontecera em 1970, no México, e uma geração ainda não tinha visto nosso país ganhar um mundial. A conquista da primeira Copa do Mundo aconteceu em 1958, na Suécia, ocasião em que despontaram dois gigantes do futebol brasileiro, Garrincha e Pelé. Já o bicampeonato aconteceu em 1962, no Chile, pelos pés de craques como Nilton Santos, Didi, Djalma Santos e Zagalo. Eu via a chegada da Copa do Mundo de 1994 com grande expectativa, principalmente por acreditar que poderia fazer parte do seleto grupo de jogadores que representariam o país, em junho daquele ano, nos Estados Unidos.

A Seleção Brasileira estava desacreditada, em parte em decorrência de dificuldades que sofreu nas eliminatórias. No entanto, ardia em todos a esperança de que o quadro negativo poderia passar e de que o Brasil conquistaria o tetracampeonato, título ainda inédito entre todas as seleções do mundo.

No dia 20 de abril de 1994, joguei em um amistoso da seleção contra o Paris Saint-German, no estádio Parc des Princes, em Paris, na França. O pontapé inicial da partida foi de

Ayrton Senna, ícone da Fórmula 1, respeitado e querido em todo o mundo. Naquela competição, Carlos Alberto Parreira, que já vinha acompanhando minhas *performances* nos times europeus, me escalou para jogar no segundo tempo, no lugar de Rivaldo, camisa 11, que atuava no meio de campo. Assim, dividi o gramado com nomes como Taffarel, Cafu, Ricardo Rocha, Dunga, Raí, Branco e Müller, entre outros atletas importantes do futebol nacional. Creio que essa partida definiu minha entrada para a Copa do Mundo, pois tive uma atuação muito boa. O jogo foi acirrado e acabou sem gols. Embora o resultado não fosse o que queríamos, a comissão técnica nos tratou com dignidade e nos motivou a continuar dando nosso melhor em campo.

Alguns dias depois, em 1º de maio de 1994, Ayrton Senna sofreu uma forte colisão contra uma barreira de concreto durante o Grande Prêmio de San Marino, no autódromo Enzo e Dino Ferrari, em Ímola, Itália. O acidente acabou levando Ayrton à morte, aos 34 anos. O Brasil foi impactado com a notícia, o que gerou choque, comoção e extrema tristeza. Como homenagem ao piloto, o governo declarou três dias de luto oficial e concedeu-lhe honras de chefe de estado. Naquela época, o Brasil também passava por uma situação político-social delicada, além de incertezas no campo econômico. A somatória desses fatores deixou uma sensação de melancolia e pesar em nossa nação. Sabíamos que vencer o mundial de futebol seria a oportunidade de devolver o sorriso ao rosto de nossa gente, abatida pelos últimos acontecimentos.

Tomei conhecimento de minha escalação para a Copa do Mundo no aeroporto de Frankfurt, Alemanha, quando estava voltando de um período de férias no Brasil. Giuseppe Dioguardi, o Pepinho, amigo da família, telefonou de uma cabine telefônica para a casa dos pais, em São Paulo. Durante a ligação, eles lhe disseram que eu integraria a Seleção Brasileira. Recebi a notícia com extrema alegria e dividi minha felicidade com minha mãe,

Merly e meus filhos, que também estavam comigo no aeroporto. Todos começamos a comemorar no meio do saguão! Minha mãe ficou tão feliz com a notícia que nem percebeu quando alguém abriu a sua bolsa e roubou seu passaporte. O contratempo não conseguiu ofuscar aqueles instantes de euforia e felicidade que tomou conta da gente. Por fim, um sonho acabara de ser realizado: eu seria um dos atletas que lutariam para conquistar o tetracampeonato!

Pouco tempo depois, rumei à Granja Comary, em Teresópolis, para realizar alguns treinos pré-temporada e viajar para os Estados Unidos. Esse período de preparação foi marcado por treinamentos intensos e muitas palestras motivacionais com a comissão técnica. Durante aqueles dias, conversávamos muito entre nós e estabelecemos prioridades para a campanha do tetracampeonato; entre elas, o foco no trabalho em equipe, o espírito de cooperação e o cuidado com a integridade física.

Fomos aos Estados Unidos com aproximadamente duas semanas de antecedência, para treinamentos preliminares e para nos acostumarmos com o clima quente do país. Até hoje meu coração bate forte ao me lembrar de minha entrada no avião especialmente decorado que levaria a seleção, a comissão técnica e um grupo de jornalistas ao país que sediaria a Copa.

Durante aqueles dias, conversávamos muito entre nós e estabelecemos prioridades para a campanha do tetracampeonato; entre elas, o foco no trabalho em equipe, o espírito de cooperação e o cuidado com a integridade física.

Havia uma mistura de sentimentos no ar: alegria, euforia e temor. Afinal, sabíamos que a competição receberia os melhores craques da bola de todo o mundo, todos com o mesmo objetivo: ganhar a disputa mais prestigiada do planeta. Fomos recepcionados pelos comissários e pilotos com uma saudação calorosa e honrados como se fôssemos autoridades.

Meu coração batia cada vez mais forte. Assim que encontrei minha poltrona, sentei-me, fiz uma oração e comecei a conversar com Viola, meu companheiro de voo. Ao olhar pela janela, a sensação que tinha era a de que, na realidade, aquela aeronave carregava não apenas um grupo de pessoas, mas toda a nação brasileira.

Apesar de todas as risadas e do clima sempre descontraído do grupo, tínhamos consciência do peso da responsabilidade que carregávamos. Assim como todos os brasileiros, nutríamos o sonho e a expectativa acumulada por quase um quarto de século. Não queríamos desperdiçar a oportunidade.

Assim que todos nos acomodamos na aeronave da extinta Varig, os procedimentos de decolagem começaram. O comandante anunciou que o voo da seleção partiria em minutos. Silêncio. Dali a pouco, a aeronave começou a acelerar até ganhar os céus. Eu deixava para trás meu país e minha gente e carregava no coração o desejo intenso de voltar com a taça na mão, a fim de ver um sorriso no rosto dos brasileiros. Agradeci a Deus pelo privilégio de estar ali e viver aqueles momentos únicos, que marcariam minha vida para sempre.

A viagem foi tranquila. Cantávamos sambas e pagodes — ritmos que estavam em alta na época —, conversávamos e brincávamos. Os jornalistas que nos acompanhavam também participavam dos gracejos e, vez ou outra, puxavam assunto para suas pautas. Isso tornou o voo mais leve e animado.

Ao chegar à concentração, em Los Gatos, fomos acomodados em duplas nos quartos que ocuparíamos durante a competição. Nesse período, meu companheiro foi Jorginho, amigo de longa data. Tínhamos muito em comum, inclusive a fé em Cristo. Foram muitas as noites em que conversamos até tarde acerca da importância de estarmos ali e de como a participação na Copa do Mundo seria benéfica para nossa carreira. Falávamos também sobre a festa que deveria acontecer no Brasil após cada vitória.

A abertura do evento aconteceu no Estádio Soldier Field, em Chicago, um grande espetáculo que contou com a participação de importantes personalidades da política, do esporte e do entretenimento, como os cantores Diana Ross e Jon Secada. Acompanhávamos tudo com uma enorme sensação de adrenalina, cientes da responsabilidade que estava sobre nós. A pressão por parte da mídia aumentou e, com isso, nosso espírito de união e trabalho em equipe só fez crescer.

Com o intuito de mantermos o foco, decidimos deixar de ler os jornais e acompanhar o que a mídia estava falando acerca da seleção. Não queríamos cometer os possíveis erros de seleções que disputaram a Copa em edições anteriores. A proximidade dos jornalistas nem sempre causa um efeito positivo em quem está em campo. Nossa mente e nosso coração deveriam estar focado em defender a camisa e alegrar o torcedor brasileiro, e não em críticas e tititis da imprensa. Decidimos também que as esposas não ficariam conosco na concentração, uma atitude firme que prontamente foi respeitada pela comissão técnica e acatada por todos.

O dia a dia na concentração era disciplinado, pois não podíamos perder o foco. Os jogadores que ficavam no banco de reservas tinham de treinar com afinco e os titulares dedicavam tempo para recompor as energias e o condicionamento físico após os jogos. Diferentemente do que muitos pensam, não havia espaço para regalias. Quando não estávamos em campo ou em alguma reunião com os técnicos, ficávamos quietos, nos quartos.

Como as esposas não nos acompanhavam, a concentração era ainda maior, pois respirávamos futebol durante o tempo

> *Nossa mente e nosso coração deveriam estar focado em defender a camisa e alegrar o torcedor brasileiro, e não em críticas e tititis da imprensa. Decidimos também que as esposas não ficariam conosco na concentração, uma atitude firme que prontamente foi respeitada pela comissão técnica e acatada por todos.*

todo. Mas, ao contrário do que pode parecer, essa rotina não era monótona ou cansativa. Não era! Sabíamos que todo o esforço fazia parte da missão de voltar para casa com o tetracampeonato.

Tetracampeões

Os jogadores que vestiram a camisa verde e amarela na Copa do Mundo de 1994 foram Taffarel, Jorginho, Aldair, Márcio Santos, Branco, Mauro Silva, Dunga, Mazinho, Zinho, Bebeto e Romário. Os reservas: Gilmar, Zetti, Cafu, Ricardo Rocha, Ronaldão, Leonardo, Raí, Müller, Ronaldinho, Viola e eu. O técnico que dirigiu o elenco foi Carlos Alberto Parreira.

Uma característica essencial desse grupo era o senso de cooperação e amizade entre todos. Eu não percebia nenhuma competição interna; pelo contrário, tanto os titulares quanto os reservas se apoiavam mutuamente, torcendo para que cada um fosse bem-sucedido. O clima no dia a dia era muito bom e descontraído. Nas viagens de longa distância, cantávamos e fazíamos piadas relacionadas às situações do dia a dia. Creio, inclusive, que esse clima leve, regado a boas risadas, fez toda diferença face ao estresse que é estar em uma Copa do Mundo.

Ricardo Rocha, zagueiro que vestia a camisa 3, desempenhou um papel singular para a criação desse ambiente saudável entre nós. Infelizmente, ele se machucou seriamente no primeiro jogo contra a Rússia, no Stanford Stadium, em São Francisco, e precisou ser substituído em todas as competições. Ganhamos da Rússia por 2x0. Mesmo impossibilitado em função da fratura que sofrera, Ricardo Rocha continuou conosco até o término do mundial. Isso aconteceu porque toda a delegação brasileira, a comissão técnica e os jogadores decidiram que ele deveria estar em nosso meio durante todo o torneio, pois os gracejos, a amizade, o carisma e o caráter influenciavam todos positivamente. Sua presença era salutar para a equipe.

Com a séria contusão de Ricardo Rocha, uma preocupação pairou no ar: o receio de nos machucarmos em campo. Ricardo era o terceiro jogador impossibilitado de continuar no mundial. Ainda na fase de treinamento, na Granja Comary, Ricardo Gomes e Mozer, dois zagueiros experientes, sofreram lesões e não puderam embarcar para os Estados Unidos. Com isso, tivemos duas baixas importantes. Parreira pediu que redobrássemos a atenção e tomássemos cuidado nas divididas, pois ele, assim como cada um de nós, estava apreensivo com a possibilidade de haver mais baixas na equipe.

Depois da vitória de 2x0 sobre a seleção russa, vencemos Camarões, por 3x0, também no Stanford Stadium. Depois, empatamos com a Suécia por 1x1, em um embate no Pontiac Silverdome, em Detroit. Participei dos dois jogos, a partir do segundo tempo.

A emoção de entrar em campo em uma Copa do Mundo é indescritível. Embora eu fosse um atleta experiente, não havia como não me emocionar ao vestir a camisa verde e amarela em um mundial. Naqueles instantes inesquecíveis, quando pisava no gramado bem cuidado, um filme passava pela minha cabeça. Eu sabia que a nação brasileira estava acompanhando cada passo meu e que nosso coração batia na mesma sintonia.

A emoção de entrar em campo em uma Copa do Mundo é indescritível. Embora eu fosse um atleta experiente, não havia como não me emocionar ao vestir a camisa verde e amarela em um mundial. Naqueles instantes inesquecíveis, quando pisava no gramado bem cuidado, um filme passava pela minha cabeça.

Respirei fundo e me posicionei para o início da partida. Ali, a emoção teve de dividir lugar com a razão e o profissionalismo. Era hora de me concentrar, acalmar a mente e mostrar um bom futebol, jogando os quarenta e cinco minutos seguintes com responsabilidade e paixão. Tive um excelente desempenho em ambos os jogos e fui elogiado pela imprensa, o que me provocou a sensação crescente de estar cumprindo bem o meu dever.

Nas oitavas de final, no dia da independência dos Estados Unidos, 4 de julho, tivemos um dos jogos mais difíceis da temporada, uma disputa contra a seleção americana. Nossos adversários jogaram com muita garra e deram tudo de si em campo, dando muito trabalho para mantermos a marcação e evitarmos gols. Aos 43 minutos do primeiro tempo, Leonardo, nosso lateral, acertou a têmpora do camisa 9 da seleção americana, Tab Ramos, com uma forte cotovelada. Tab foi ao chão e Leonardo acabou recebendo cartão vermelho. Se o jogo já estava difícil, agora teríamos de vencer nossos oponentes com um membro a menos na equipe.

Alex Dias Ribeiro, ex-automobilista e missionário que acompanhava de perto alguns jogadores cristãos de nossa equipe, costumava compartilhar a Palavra de Deus durante as reuniões dos Atletas de Cristo que fazíamos entre um jogo e outro. Curiosamente, antes daquele jogo, ele falara conosco sobre uma passagem bíblica, do livro de Juízes, capítulo 7, na qual o guerreiro israelita Gideão vence o gigantesco exército dos inimigos midianitas em uma batalha com apenas trezentos homens. Nessa passagem bíblica, Deus mostra ao povo de Israel que não importava a quantidade de soldados para que obtivessem vitória, o importante era a presença dele. Mesmo com um número extremamente reduzido de soldados, os israelitas venceriam a guerra se tivessem as atitudes corretas, coragem, fé e o poder de Deus em sua vida.

Quando terminou o primeiro tempo, minutos depois daquela expulsão, fui ao vestiário relembrando as palavras que tínhamos ouvido. Eu dizia aos colegas: "Não é um jogador a menos que nos fará perder esta partida. Mantenhamos os olhos em Deus e em nosso propósito de estar aqui". Este, aliás, era um assunto que sempre conversávamos nas reuniões dos Atletas de

Cristo durante a Copa: "Qual é o nosso propósito aqui? Por que devemos vencer o mundial?". Nossa motivação deveria ser pura e correta. Quando refletíamos sobre o assunto, chegávamos à seguinte conclusão: se vencêssemos a Copa, teríamos a chance de testemunhar sobre o amor de Deus e sobre a vida pela fé em Cristo". Essa perspectiva mantinha nossa motivação no lugar certo.

Retornamos ao campo e a partida foi reiniciada. Aos 28 minutos do segundo tempo, Romário e Bebeto fizeram uma jogada que terminou em um belo gol. A torcida foi ao delírio! A dupla foi fundamental naquela seleção, pois, juntos, Romário e Bebeto fizeram grandes lances. Sabíamos que poderíamos contar com os dois na grande área para realizar as finalizações e emplacar mais pontos para o Brasil.

Quando chegamos ao vestiário naquele dia, comemoramos a vitória por 1x0 com abraços e palavras de motivação. Dizíamos constantemente: "Falta pouco! Estamos no caminho certo!". Parreira observava a união entre nós e nos incentivava a continuar com aquele espírito de equipe. Muito sabiamente, ele rememorava os principais acontecimentos do jogo, chamava nossa atenção para potenciais perigos e elogiava os acertos.

Toda a comissão técnica, os massagistas, os roupeiros e os funcionários que prestavam serviços à seleção cumprimentavam os jogadores com grande ânimo, incentivando-nos ainda mais. Ao chegar à concentração, eu ligava para Merly, que estava em um hotel distante dali. Ela sempre tinha bons pensamentos para compartilhar e me animava a continuar com foco, determinação e empenho.

Embora estivéssemos fazendo uma campanha positiva até então, jamais tivemos a pretensão de cantar vitória antes do tempo. Sabíamos que viriam dias difíceis pela frente e que os adversários seguintes eram muito fortes. Como éramos atletas experientes, tínhamos consciência de que não há como antever placares. Durante as conversas entre os jogadores, trocávamos informações acerca dos times que enfrentaríamos, dividíamos experiências que tivemos ao jogar com alguns dos atletas adversários e buscávamos ouvir atentamente as orientações de Parreira.

Durante as conversas entre os jogadores, trocávamos informações acerca dos times que enfrentaríamos, dividíamos experiências que tivemos ao jogar com alguns dos atletas adversários e buscávamos ouvir atentamente as orientações de Parreira.

Naquela época, não havia Internet, nem *smartphones* em que pudéssemos rever os lances dos jogos. Aliás, nem tínhamos tempo para isso. Utilizávamos cada partida como aprendizado e confiávamos nas palavras de nosso técnico. Como o futebol não é um esporte popular nos Estados Unidos, a mídia americana não deu muita ênfase à Copa. Por isso, se quiséssemos acompanhar algum jogo, tínhamos de vê-lo pelos canais de televisão latinos. De qualquer forma, nutríamos o pensamento de que não deveríamos focar nossa atenção na força dos adversários, mas em nosso potencial e nas diretrizes que nos eram passadas.

O jogo seguinte, já nas quartas de final, foi uma disputa contra a Holanda, em uma partida de tirar o fôlego. O Estádio Cotton Bowl, em Dallas, estava lotado e foi sacudido pelas sequências de gols que marcaram a competição. Primeiro, emplacamos dois gols, o que aparentemente nos dava vantagem. O que não esperávamos é que os holandeses empatariam o placar, principalmente no jogo aéreo. Meu coração tremeu diante daquele resultado inusitado e comecei a imaginar nosso avião voltando ao Brasil sem a taça do mundo. "Como será perder uma Copa?", eu pensava. Ao mesmo tempo, buscava preencher a mente com pensamentos de fé, convicto do bom futebol dos atletas brasileiros. Nós, que estávamos no banco de reservas, sofríamos acompanhando os jogadores que estavam em campo.

Não havia muito o que fazer, apenas incentivar o time com palavras positivas e orientar os jogadores acerca dos perigos que podíamos ver mais claramente por assistir ao jogo de outro ângulo, do lado de fora das quatro linhas. Aos 36 minutos do segundo tempo, após cavar uma falta, Branco, lateral esquerdo e camisa 6, desempatou com um forte chute de pé esquerdo. Ele tinha ficado um tempo no banco de reservas antes de substituir Leonardo, que havia sido expulso no jogo anterior. Por isso, ao fazer o gol, ele veio ao banco comemorar conosco o resultado. A atitude do Branco refletia a consciência de grupo que havia entre nós: não éramos reservas ou titulares; ali, éramos todos Seleção Brasileira, igualmente importantes.

À medida que chegávamos perto do fim do jogo, começamos a respirar mais aliviados. Agora, era segurar o placar, evitar as consequências do desespero dos holandeses e garantir o placar. Assim, fechamos a partida em 3×2. Estávamos mais próximos do tetra.

Ao final da partida, nos reunimos no vestiário e ouvimos palavras belíssimas de incentivo da parte de nosso técnico. Conversamos sobre a importância do foco e dos perigos de relaxar quando o jogo está aparentemente ganho. Quando o assunto é futebol, o placar só está decidido ao soar o apito final. Com essa consciência, nos preparamos para a disputa seguinte.

A semifinal aconteceu no estádio Rose Bowl, em Pasadena, Los Angeles, no dia 13 de julho, um jogo acirrado contra a seleção sueca. Tentávamos finalizar as jogadas, mas a bola não balançava a rede. Mesmo com chances, finalizamos o primeiro tempo empatados em 0x0. No intervalo, Parreira fez uma reunião com os titulares, explicando-lhes como aproveitar as oportunidades de arrancada. Todos o ouviram com extrema atenção. Além disso, rememorávamos entre nós os lances que nos marcaram e revisávamos pontos de atenção.

A realidade é que não sabíamos o que poderia acontecer no segundo tempo, mas tínhamos convicção de que a experiência de cada jogador brasileiro era uma grande aliada. De olho no cronômetro, entramos em campo para o embate acirrado, incentivando-nos mutuamente. A animação da torcida era vibrante, o que nos enchia de motivação para vencer! O apito inicial soou e a disputa prosseguiu. Nenhuma das duas seleções conseguia fazer um gol. A situação só mudaria aos 35 minutos do segundo tempo, em uma jogada protagonizada pelo lateral direito Jorginho e o atacante Romário. Jorginho viu um erro no posicionamento da defesa adversária e fez um cruzamento preciso para Romário, que emplacou um gol de cabeça. Que alívio e que alegria! Conseguimos segurar o placar até o final e, dessa forma, passamos para a final da Copa do Mundo.

Atitudes de uma equipe vencedora

Durante a preparação para a Copa, toda a comissão técnica teve o cuidado de trabalhar nosso lado emocional, utilizando bons materiais motivacionais. Em um deles, havia as seguintes palavras: "Perseverança, determinação, humildade, talento, disciplina e união. Esses são os ingredientes para nossa superação, a conquista do tetracampeonato". Essas palavras ecoam em minha mente até hoje e creio que elas trazem em si princípios para quem quer vencer em diferentes áreas da vida. Permita-me falar um pouco sobre cada uma dessas virtudes.

Perseverança

Quem tem objetivos precisa ser constante e persistir, sem desistir diante da primeira dificuldade. Às vezes, os nossos oponentes são fortes e até mesmo mais bem preparados que nós. No entanto, a pessoa persistente procurará meios de se aprimorar e ser melhor a cada dia. Assim, com paciência e confiança, estará mais próxima de seu objetivo. A perseverança é fundamental para quem quer ir além.

Determinação

Ingrediente fundamental para o êxito. Sem determinação não chegamos a lugar algum. Isso significa que nossas maiores vitórias exigem de nós comprometimento, seja para obter a promoção no trabalho, seja para perder peso, seja para ganhar uma Copa do Mundo. Grandes conquistas resultam do esforço diário de dar um passo a mais. Você nunca chegará ao seu objetivo se não se empenhar.

Humildade

A humildade é como o óleo que faz as peças da engrenagem trabalharem em de forma correta e sem desgaste. O esforço para tentar ser aquilo que não é ou para mostrar-se superior aos demais mata emocionalmente o ser humano, pois isso estressa a mente e o coração. Creio firmemente no provérbio bíblico que diz que o orgulho precede a destruição e a arrogância precede a queda (Pv 16.18). O orgulhoso, de fato, é alguém fadado ao fracasso.

Talento

Talento é uma dádiva pela qual devemos zelar. Existe muita gente talentosa que não se desenvolve, que não se aplica em ser excelente e, com isso, perde oportunidades e jamais sobe a um patamar mais elevado. A Bíblia diz: "Você já viu alguém muito competente no que faz? Ele servirá reis em vez de trabalhar para gente comum" (Pv 22.29). Se você reconhece um talento em sua vida, desenvolva-o e utilize-o para o seu próprio bem e para o bem daqueles que o cercam.

Como você tem utilizado os talentos, os dons que Deus lhe deu? Tem investido tempo para aprimorar-se e multiplicar a bênção concedida a você? Não seja negligente, mas se esforce para fazer o melhor. Sua dedicação e seu cuidado em relação aos talentos que lhe foram entregues definirão o seu sucesso ou o seu fracasso, debaixo da soberania de Deus. Por isso, seja prudente e aplique-se em fazer o melhor.

Disciplina

Uma pessoa disciplinada estabelece um objetivo e se compromete em atingi-lo. Por isso, não é surpresa que consiga chegar aonde quer. Isso exigirá força de vontade e dedicação extra? Certamente. Mas a alegria de chegar ao pódio extrapola e muito o suor que foi investido para conquistar os objetivos. Disciplina é a trilha para resultados significativos. Uma pessoa indisciplinada certamente terá sérios problemas.

Cuidar da alimentação, zelar por boas horas de sono, evitar noitadas e vícios nocivos são primordiais para quem quer utilizar todo o potencial dessa máquina chamada corpo humano. Para isso, no entanto, é fundamental ter rigor e força de vontade, dizendo "não" quando a preguiça, a negligência ou a irresponsabilidade aparecerem. É muito triste ver alguém, sobretudo um atleta, se deixar vencer por um comportamento descuidado, quando deveria insistir com todas as forças em manter o corpo na melhor condição possível.

União

Como diz o ditado, "a união faz a força." Sozinhos não alcançamos nada. Sempre precisamos de alguém ao nosso lado. A Bíblia fala acerca da importância de termos um braço amigo nos momentos de necessidade.

> É melhor serem dois que um, pois um ajuda o outro a alcançar o sucesso. Se um cair, o outro o ajuda a levantar-se. Mas quem cai sem ter quem o ajude está em sérios apuros.
> Da mesma forma, duas pessoas que se deitam juntas aquecem uma à outra. Mas como fazer para se aquecer sozinho?

Sozinha, a pessoa corre o risco de ser atacada e vencida, mas duas pessoas juntas podem se defender melhor. Se houver três, melhor ainda, pois uma corda trançada com três fios não arrebenta facilmente.

Eclesiastes 4.9-12

A união é ingrediente essencial para a vitória de uma equipe, já que uma casa dividida jamais poderá subsistir. Jesus disse: "Todo reino dividido internamente está condenado à ruína. Uma cidade ou família dividida contra si mesma se desintegrará" (Mt 12.25). A união foi um dos principais ingredientes que nos ajudaram na final da Copa do Mundo de 1994, contra a seleção italiana.

A CONQUISTA

A noite anterior à final da Copa do Mundo parecia interminável. Eu e Jorginho, meu companheiro de quarto, não conseguíamos dormir. Em minha cabeça vinham lembranças de toda a minha trajetória profissional. Conversávamos sobre os possíveis desdobramentos do dia seguinte, caso obtivéssemos a vitória. Se fôssemos tetracampeões, aquela seria uma marca positiva que carregaríamos por toda a vida, já que entraríamos para o pequeno *hall* de jogadores que já levaram a taça do mundial para casa. Na ocasião, apenas três seleções brasileiras tinham experimentado esse privilégio, pouco mais de setenta jogadores.

Imaginávamos como estavam as ruas do Brasil, as bandeirolas enfeitando os bairros, os meninos e as meninas pintando calçadas com as cores da seleção, os funcionários combinando para sair mais cedo do trabalho. Sabíamos que no dia seguinte o país pararia para nos ver jogar. Como havíamos sido duramente criticados e desacreditados antes da Copa, tínhamos percebido que até os jornalistas que não criam em uma vitória passaram a acreditar que poderíamos vencer, o que só aumentou a nossa responsabilidade.

O dia amanheceu. Um grande silêncio tomava conta da concentração. Tomamos café da manhã juntos e iniciamos a preparação para o jogo. Alguns jogadores foram para sessões de massagem e outros seguiram para os quartos, a fim de descansar o corpo, orar ou realizar qualquer outra atividade. Dediquei aquela manhã para preparar a mente e o coração. Conversei com Deus e pedi forças naquela grande final da Copa do Mundo não somente para mim, mas para todos os companheiros de equipe.

Dediquei aquela manhã para preparar a mente e o coração. Conversei com Deus e pedi forças naquela grande final da Copa do Mundo não somente para mim, mas para todos os companheiros de equipe.

Parreira conversou com cada jogador individualmente, dando a cada membro da seleção atenção especial e explicando estrategicamente o que cada um deveria fazer. Víamos seu cuidado, seu profissionalismo e sua paixão ao se esforçar por oferecer força e direção aos jogadores naquele momento de angústia e extrema pressão.

Quando chegou a hora do jogo, nos dirigimos ao estádio. Não havia comentários negativos entre nós, apenas palavras de ânimo. Fiz questão de dar um abraço e motivar cada jogador que estaria em campo na final, a forma que encontrei para dividir com eles o peso daquele dia e aliviar a carga que carregavam. Eu sabia que aquela simples atitude fazia extrema diferença diante da responsabilidade que cada um sentia ao representar o Brasil na decisão pela taça.

Entramos de mãos dadas no estádio Rose Bowl. Aliás, esse era um gesto característico da seleção brasileira no mundial de 1994. Tínhamos recebido tantas críticas nos meses anteriores à Copa que os jogadores mais experientes, como Ricardo Rocha, Romário e Dunga, deram a ideia de simbolizarmos a união, o foco e a perseverança da equipe entrando como uma corrente em campo. Creio que o gesto tocou o coração da torcida. Na realidade, as mãos dadas era uma extensão do espírito cordial que há no povo brasileiro.

Uma mistura de medo, euforia, confiança e alegria tomava conta da mente e do coração de todos. A fé nos alimentava, fazendo-nos crer que dentro de poucas horas poderíamos ser os primeiros tetracampeões do mundo. Do campo, ouvíamos a vibração de mais de 94 mil torcedores, homens, mulheres, jovens e crianças, embalados pelos mesmos sentimentos que aceleravam o coração dos jogadores.

O apito soou.

A bola começou a rolar.

Começou a tensa disputa pela taça da Copa do Mundo de 1994.

No primeiro tempo, nem Brasil nem Itália marcou gols. Durante o intervalo, nós, que estávamos no banco de reservas, procuramos fazer o possível para ajudar nossos exaustos companheiros. Alguns se jogaram no chão, com as pernas doloridas e os corpos fatigados pelo forte calor que fazia naquele dia. Usávamos toalhas para abaná-los e para chacoalhar os músculos de suas pernas. Chupávamos laranjas e tomávamos água para refrescar o corpo e recompor as energias.

Em determinado momento, trocamos pontos de vista sobre o andamento do jogo e chegamos à conclusão de que havia chances de ganhar. Não tínhamos corrido muitos perigos de gol, mas não podíamos vacilar. Parreira nos incentivou a jogar com inteligência, cientes de que quem errasse menos chegaria ao lugar mais alto do pódio.

O segundo tempo começou e a angústia era geral. Ambos os times estavam dando tudo de si em campo e não se entregaram em nenhum momento. Do banco de reservas, sentíamos o ímpeto de querer fazer alguma coisa, mas só podíamos aguardar os desdobramentos do jogo e incentivar os colegas. Em meu coração, eu orava a Deus, pedindo-lhe forças para aqueles guerreiros em armaduras verdes e amarelas.

Sem gols no tempo normal, fomos à prorrogação. No intervalo, trocávamos palavras de confiança, pois éramos nutridos pelo ideal de alegrar o Brasil com a vitória da seleção. Parreira tinha um olhar confiante e dava diretrizes firmes para os atletas, despertando-os para a singularidade e a importância daqueles minutos. Apesar do cansaço extremo, havia uma força indescritível nos onze jogadores que atuavam em campo. Tudo podia acontecer. Por essa razão, devíamos manter a concentração em cada movimento da seleção italiana.

Parreira tinha um olhar confiante e dava diretrizes firmes para os atletas, despertando-os para a singularidade e a importância daqueles minutos. Apesar do cansaço extremo, havia uma força indescritível nos onze jogadores que atuavam em campo. Tudo podia acontecer.

A prorrogação começou e a disputa mostrou-se ainda mais acirrada. Sabíamos que um vacilo nosso resultaria na perda do título. Tivemos boas chances de gol, mas a bola, teimosa, não entrava. Primeiro e segundo tempos de prorrogação, e nada. Por isso, aconteceu o que temíamos: a disputa por pênaltis. Dentro de alguns minutos, saberíamos quem seria o time campeão da Copa do Mundo de 1994.

A tensão tomou conta do Rose Bowl e de cada membro da nossa seleção.

Parreira, muito experiente e sábio na arte de comandar um time, já antevia a possível decisão por pênaltis. Por isso, escolheu antecipadamente alguns jogadores para treinar chutes a gol durante toda a fase de treinos. Claro que fiquei triste por não ser um dos escolhidos, mas, naquele momento, o importante era ganhar, a despeito de quem fizesse o gol. Tudo pronto, era chegada a hora da decisão!

Franco Baresi, camisa 6 da seleção italiana, bateu o primeiro pênalti e... perdeu!. A euforia foi geral entre os brasileiros!

Taffarel, pessoa de coração gigantesco, saiu do gol e foi consolar o jogador. Em seguida, a aflição retornou, quando o goleiro italiano Pagliuca defendeu o chute de Márcio Santos, camisa 15 do Brasil. Márcio ficou cabisbaixo por ter perdido o lance, mas o incentivamos a levantar a cabeça.

Naquele momento, nos abraçamos, em uma corrente de torcida pelos jogadores. Na sequência, as duas seleções marcaram gols, convertidos por Albertini, Romário, Evani e Branco. Foi quando Taffarel fez uma bela defesa do pênalti batido por Massaro, camisa 19 da Itália. Nosso capitão, Dunga, fez o terceiro gol do Brasil, colocando-nos em vantagem.

Embora a torcida estivesse eufórica nas arquibancadas, em nosso coração parecia haver silêncio. Naquele momento, o mundo ao redor desapareceu. É como se não houvesse mais nada, apenas a bola, o gol, a tensão, a pressão e a adrenalina do momento. O próximo chute seria batido por Baggio, camisa 10 da seleção italiana. Aqueles segundos fizeram o estádio parar. Pessoas no mundo inteiro acompanhavam uma das mais belas competições esportivas já realizadas. Eu orava em minha mente com toda intensidade, acompanhando os passos do próximo batedor.

Baggio ajeitou a bola.

Taffarel se preparou, procurando o melhor lugar para se posicionar entre as traves, que, naquele instante, pareciam mais afastadas do que nunca.

Os torcedores prenderam a respiração. O Brasil cravou os olhos na televisão.

Baggio correu para a bola e.... para fora!
É tetra! É tetra! É tetra!

EM ÊXTASE

Aqueles foram alguns dos momentos mais extasiantes de minha vida e carreira. Nós nos abraçávamos e comemorávamos a conquista do título obtido com muito suor e esforço, sonho de todos os que estavam ali. Alguns jogadores e eu corremos até Taffarel, nos ajoelhamos no gramado e fizemos uma oração de agradecimento a Deus. Era momento de testemunhar a fé diante das milhões de pessoas que assistiam ao jogo nos quatro cantos do mundo. Seguranças se posicionaram e fizemos a volta olímpica pelo estádio, aplaudidos pelos torcedores.

Aqueles foram alguns dos momentos mais extasiantes de minha vida e carreira. Nós nos abraçávamos e comemorávamos a conquista do título obtido com muito suor e esforço, sonho de todos os que estavam ali.

Tive o privilégio de segurar a taça durante um tempo da volta olímpica. Ali, erguida entre minhas mãos, estava a taça dourada e, ao fundo, o céu azul. Naqueles instantes, que se tornaram eternos, meus pensamentos eram muitos. Em segundos, com a taça erguida, passou um filme em minha cabeça. Lembrava-me de meus pais, de minha esposa, dos filhos e amigos. Pensei em como estaria o clima de festa no Brasil e imaginei como seria nossa recepção ao voltar ao país com a missão cumprida. Meu coração não cabia no peito, embalado pelos gritos e aplausos da multidão que lotava a arquibancada do Rose Bowl.

Conforme orientava o protocolo da competição, nos posicionamos diante da comissão da FIFA para receber a medalha de campeões e erguer, cada um, o troféu tão cobiçado. Mais uma vez, levantei a taça e agradeci a Deus pela felicidade que estava sentindo. O burburinho era geral: jornalistas do mundo inteiro, fotógrafos e fãs queriam se aproximar de alguma forma dos tetracampeões — e eu, aquele menino da rua Jesuíno Pascoal, em Santa Cecília, bisneto de Eduardo Rosa e Alice Xavier, era um deles!

Fogos de artifício estouravam no ar, enquanto a multidão comemorava incessantemente e meu coração explodia de júbilo!

Quando a solenidade terminou, fomos ao vestiário. Pulávamos muito, aliviados da tensão de todos aqueles dias. A sensação de ganhar a Copa do Mundo equivalia à retirada de uma tonelada de nossas costas. No vestiário, a taça era o centro das atenções; todos queriam segurá-la mais uma vez e tirar fotos que se tornariam recordações preciosas. Parreira, agora um técnico mundialmente campeão, nos parabenizou e, com um sorriso de satisfação, elogiou o esforço, o empenho e o comprometimento de cada jogador durante a campanha do tetra.

À noite, fizemos uma comemoração com toda a delegação brasileira. Nossos familiares e esposas foram convidados para participar da celebração. Ao olhar para Merly, conseguia ver que seus olhos brilhavam de orgulho. Mal podia esperar para falar com Felipe, Ana Caroline, meus pais e parentes, a fim de dividir com eles aquela experiência única.

O RETORNO

Passada a euforia da comemoração nos EUA, tínhamos de voltar ao Brasil, momento aguardado com grande expectativa. Afinal, não tínhamos noção do que nos esperava em solo brasileiro, só imaginávamos que a alegria devia ser generalizada. Embarcamos no avião verde e amarelo da Varig, que agora tinha mais uma estrela em destaque, indicando que transportava a primeira seleção tetracampeã do mundo. Durante o voo, comentávamos entre nós acerca de como seríamos recepcionados em nossa nação. Só tivemos ideia da proporção do que nos aguardava quando caças da Força Aérea Brasileira começaram a nos escoltar nos ares. Da janela, víamos aquelas potentes aeronaves deslizando pelos céus, como que prenunciando que a população aguardava heróis.

Ao chegar ao aeroporto de Recife (PE), Romário, um ícone daquele mundial, foi à janela da cabine e alçou a bandeira verde e amarela. Do interior da aeronave, víamos as autoridades locais se posicionando para nos receber com todas as honras. Um tapete vermelho foi estendido e Ricardo Rocha foi o escolhido para pisar o solo brasileiro com a taça nas mãos.

Ao sair do aeroporto, subimos em um caminhão de bombeiros, a fim de percorrer a cidade. Uma multidão vestida e adornada com as cores verde e amarelo se aglomerava ao longo de todo o percurso. Lembro-me da imensa quantidade de bandeiras e do orgulho estampado no rosto de meninos e meninas, homens e mulheres, jovens e idosos, que se apertavam e corriam para ver mais de perto a seleção e nos aplaudir com entusiasmo. Enquanto isso, caças da força aérea e helicópteros sobrevoavam os céus.

Foi muito bom ver a alegria estampada no rosto de tanta gente ao cruzarmos as ruas de cada cidade que percorremos. Comentávamos entre nós que o objetivo de ver novamente o sorriso no rosto dos brasileiros estava cumprido.

Passamos por Recife, Brasília e Rio de Janeiro e, em todos os locais, encontramos multidões animadas, gritando "Tetracampeão! Tetracampeão!" e o famoso grito de guerra daquele ano: "U-te-rê-rê! U-te-rê-rê! U-te-rê-rê!". Nas mãos, levávamos a taça da Copa e o capacete de Ayrton Senna, uma homenagem merecida ao gigante do automobilismo nacional. Foi muito bom ver a alegria estampada no rosto de tanta gente ao cruzarmos as ruas de cada cidade que percorremos. Comentávamos entre nós que o objetivo de ver novamente o sorriso no rosto dos brasileiros estava cumprido.

Em Brasília, fomos recepcionados por Itamar Franco, na época presidente do Brasil. Com muita pompa, ele nos recebeu em uma sala do Palácio do Governo e conversou por alguns instantes com toda a delegação brasileira. Entre suas palavras, ele relembrou que tínhamos acabado de entrar para a história do país e nos felicitou pelo resultado obtido. Dunga, capitão do time, deu-lhe de presente uma camisa da seleção. Senti-me muito lisonjeado por estar ali, já que, diante de nós, estava a maior autoridade da pátria, cumprimentando-nos, um a um, e tratando-nos com todo respeito. Jamais havia pensando que viveria algo assim! Terminado o momento de conversa, fomos à solenidade para receber medalhas de mérito esportivo, que guardo com uma lembrança especial. Durante todo o dia, fomos assediados pela imprensa, que reportava em tempo real cada um dos nossos movimentos.

Tivemos uma surpresa especial: cada jogador ganhou um carro zero-quilômetro. Os veículos eram da marca Gol 1000, da Volkswagen, uma sensação naquela época. Cada um foi doado por um empresário. O meu foi um presente de Silvio Santos, fundador e apresentador do Sistema Brasileiro de Televisão (SBT). Como homenagem, o carro foi emplacado com as letras *DPS* (de "Paulo Sérgio") *1994*. Fiquei honrado com o presente daquela personalidade tão querida em nosso país.

Estou certo de que esses momentos de extrema alegria estão guardados na mente e no coração de todos os jogadores que participaram da 15ª edição da Copa do Mundo de futebol.

Corações gratos

Decidimos que nossa premiação seria dividida entre todos os membros da delegação brasileira, ou seja, o copeiro, o massagista, o roupeiro, o médico... todos levariam uma parte do prêmio. Queríamos retribuir o esforço, o tempo e a dedicação de cada um. Sabíamos que todos eram importantes e que nosso sucesso nos gramados dependia da assessoria que tínhamos nos bastidores.

Essa atitude, de fato, refletia o espírito que havia na equipe. Gosto de lembrar-me desse gesto, pois ter um coração grato é princípio bíblico destacado por Jesus. Certa vez, relata o evangelho de Lucas, Jesus curou dez leprosos, mas apenas um voltou para agradecer. Diante de tão grande falta de consideração por parte da maioria, Jesus perguntou onde estavam os outros nove que haviam sido curados. Sua reação deixa claro que a gratidão é uma virtude apreciada nos céus.

Dirigindo-se a Jerusalém, Jesus chegou à fronteira entre a Galileia e Samaria.

Ao entrar num povoado dali, dez leprosos, mantendo certa distância, clamaram: "Jesus, Mestre, tenha misericórdia de nós!".

Ele olhou para eles e disse: "Vão e apresentem-se aos sacerdotes". E, enquanto eles iam, foram curados da lepra.

Um deles, ao ver-se curado, voltou a Jesus, louvando a Deus em alta voz.

Lançou-se a seus pés, agradecendo-lhe pelo que havia feito. Esse homem era samaritano.

Jesus perguntou: "Não curei dez homens? Onde estão os outros nove?

Ninguém voltou para dar glórias a Deus, exceto este estrangeiro?"

Lucas 17.11-18

Tenha sempre uma atitude de consideração e agradecimento com as pessoas que lhe prestaram algum serviço ou favor. Isso fará muito bem a elas e resultará em consideração e respeito a você. Não seja o tipo de pessoa ingrata, que não reconhece o trabalho alheio; pelo contrário, honre-o e valorize-o. Esse princípio aplica-se também à nossa relação com Deus. Seja grato pelas bênçãos que ele derrama sobre sua vida todos os dias e dê-lhe a glória devida por seus atos maravilhosos. Esse sentimento de gratidão permeou todo o tetracampeonato — antes, durante e depois da vitória.

Encerramos a campanha do tetra com chave de ouro, com abraços e votos de sucesso para cada membro da equipe, inclusive para aqueles que não eram tão conhecidos ou vistos na mídia, mas que foram fundamentais nos bastidores.

Encerramos a campanha do tetra com chave de ouro, com abraços e votos de sucesso para cada membro da equipe, inclusive para aqueles que não eram tão conhecidos ou vistos na mídia, mas que foram fundamentais nos bastidores.

Todos tínhamos a sensação de que os elos formados durante o mundial de 1994 durariam por toda a vida e que, mesmo distantes uns dos outros, estaríamos sempre unidos na quarta estrela que compõe o escudo da Seleção Brasileira.

De volta ao lar, minha preocupação imediata passou a ser aproveitar o tempo com minha família e me preparar para a rotina de jogos na Alemanha. Mal sabia naquela época que, dali a algum tempo, eu enfrentaria um dos maiores desafios de minha trajetória pessoal e profissional: a atuação em um país muçulmano.

A contratação de Paulo Sérgio pelo Al-Wahda Football Club, dos Emirados Árabes Unidos, proporcionou ao atleta a experiência de viver no mundo árabe.

5 EM SOLO MUÇULMANO

Pouco tempo antes de terminar meu contrato com o Bayern de Munique, recebi propostas de outros times da Alemanha, da Espanha e da Turquia. Na época, ansiava por algo diferente, uma experiência empolgante que me abrisse novos horizontes dentro do esporte. Compartilhei meu anseio com Merly, que prontamente me apoiou. Sempre tivemos uma ótima comunicação como casal, e nunca hesitei em contar-lhe meus desejos mais profundos. Louvo a Deus pela esposa que tenho e por tudo o que ela significa para mim. Ao saber de minha vontade de vivenciar um novo tempo na carreira como atleta, Merly se pôs a orar comigo, crendo que Deus faria que tudo cooperasse para o nosso bem. Confiamos que, se fosse algo reservado por Deus para nós, uma nova oportunidade apareceria.

E ela apareceu.

Fui convidado para fazer parte do Al-Wahda Football Club, time dos Emirados Árabes Unidos. Caso aceitasse, vestiria a camisa 10 do time, assinaria um contrato de dois anos, no valor de um milhão de dólares, e o salário seria o dobro do que eu ganhava no Bayern de Munique. Fiquei muito interessado no convite, pois o mundo do futebol árabe era um cenário extremamente novo para mim. Dali a alguns dias, respondi ao convite positivamente, dando início aos trâmites de contratação e à mudança para Abu Dhabi, capital dos Emirados Árabes Unidos, onde estava a sede do time.

Na época, a cidade já contava com boa infraestrutura e certo conforto, apesar do calor intenso. O clube cuidou de arrumar uma residência e um carro para minha família. Em pouco tempo, já estávamos instalados em uma boa residência e as crianças começaram a frequentar um colégio internacional. Dois amigos brasileiros que conhecemos ali, Marcelo e Celia, nos ajudaram a encontrar lojas com produtos domésticos de que precisávamos, assim, podíamos encontrar utensílios e alimentos para o dia a dia sem precisar da ajuda de terceiros.

Toda a nossa comunicação acontecia em inglês, por isso, Merly e eu tivemos de contratar aulas particulares, a fim de afiar o idioma. Luiz Felipe e Ana Caroline já falavam inglês com fluência, pois os colégios em que estudaram o tinham como língua principal.

Em Abu Dhabi, havia dias em que os termômetros passavam dos 40 graus, uma temperatura muito mais elevada em relação a Munique, que tem um clima ameno. Por causa disso, poucas pessoas transitavam pelas ruas durante o dia. Lembro-me de certa vez em que o sistema eletrônico de uma BMW 750 que me havia sido emprestada pela alta direção do Al-Wahda pifou em função da temperatura elevada. Com isso dá para você ter uma ideia de que o calor não era brincadeira! Geralmente, eu me vestia com roupas leves e com chinelo de dedo, traje diferente da utilizada pela população local, mais acostumada a usar vestes longas.

Merly e Ana Caroline sentiram a diferença cultural, pois as mulheres pareciam bastante submissas aos homens e tinham de usar *abayas*, vestes longas e pretas, e lenço na cabeça. As mais velhas utilizavam burcas, que cobriam o rosto e os olhos.

Por serem estrangeiras, e por isso não necessitassem seguir à risca os costumes locais, não sentiram nenhum tipo de preconceito por não estarem vestidas de acordo com a tradição de Abu Dhabi. No entanto, mantinham a compostura e se portavam de forma reservada.

Em se tratando de fé e religião, vimos que o povo árabe é bastante fervoroso em relação à religião. Onde morávamos havia muitos muçulmanos e hindus. Independentemente do que estivessem fazendo, os muçulmanos paravam as suas atividades e começavam a orar, sem constrangimento. Esse costume, inclusive, era comum antes das partidas dos jogos. De repente, todos paravam para se ajoelhar e fazer preces, uma atitude muito bonita, em minha opinião.

De certa forma, acho a disciplina religiosa dos muçulmanos exemplar, pois não têm vergonha de professar publicamente sua fé. Infelizmente, vejo muitos cristãos que não oram em público, quando vão ao restaurante, por exemplo, porque ficam preocupados com o que os outros vão pensar e dizer. Há também quem assuma um testemunho desleixado diante de um mundo que tenta ridicularizar os cristãos, comportando-se como os que não têm relacionamento sério com Jesus. O mundo seria bem diferente se todos os que seguem Cristo vivenciassem a fé que professam de forma aberta e visível. Assim, a sociedade seria impactada com o amor, a graça e a fraternidade, características intrínsecas de todo aquele que vive autenticamente os preceitos da Bíblia.

A Palavra de Deus diz que os discípulos de Jesus são o sal da terra e a luz do mundo, o que significa que eles devem fazer a diferença em seu contexto, levando sabor

O mundo seria bem diferente se todos os que seguem Cristo vivenciassem a fé que professam de forma aberta e visível. Assim, a sociedade seria impactada com o amor, a graça e a fraternidade, características intrínsecas de todo aquele que vive autenticamente os preceitos da Bíblia.

onde a insipidez do pecado prevalece e brilho onde as trevas dominam. Aquele que confessa Jesus como Salvador não deve ter vergonha de testemunhar abertamente aquilo em que crê; pelo contrário, deve mostrar à sociedade que a vida de fé é sublime e traz equilíbrio e paz ao coração humano.

Diante de uma sociedade que muitas vezes é hostil aos cristãos, é fundamental manter o bom testemunho e a coerência com aquilo que professamos, sendo zelosos para não escandalizar os demais. A luz do cristão deve brilhar, para que todos vejam e reconheçam a diferença que Cristo faz em sua vida.

Tive de me adaptar e respeitar os códigos de conduta locais. Um deles dizia respeito ao uso dos vestiários. Diferentemente do Brasil e da Europa, nos Emirados Árabes os jogadores não têm o costume de ficar nus na frente dos outros colegas de equipe. Além disso, os chuveiros eram separados por boxes, justamente para que houvesse respeito à nudez, à intimidade. Tirar a camisa em público era outro comportamento incomum. Por isso, os jogadores deveriam esperar até o momento apropriado para tirá-la, geralmente antes de tomar uma ducha e trocar de roupa. Escorreguei nesse princípio em uma atitude que, hoje, mais maduro, me arrependo.

Quando começou a pré-temporada da edição de 2002-2003 do Campeonato Emiradense de Futebol — mais conhecido como UAE League, o principal campeonato de futebol dos Emirados Árabes Unidos —, fomos treinar na Europa, para fugir das altas temperaturas. Quando estávamos em Abu Dhabi, os treinos tinham de ser realizados no período da noite, pois não conseguíamos suportar o calor do dia.

Começaram os jogos oficiais e avançamos com determinação rumo ao título. Minha *performance* foi muito boa. Fiz nove gols em dez jogos, sendo seis pela Copa Emirados e quatro pela UAE League. Mas, embora a situação fosse promissora dentro do campo, fora dele eu enfrentava dificuldades.

AFLIÇÕES INESPERADAS

Em Abu Dhabi não encontramos nenhuma igreja cristã e não tínhamos amigos que professassem a mesma fé. Merly e eu passamos a fazer devocionais em casa e a convidar alguns brasileiros para orar conosco, mas nada comparado ao que vivenciávamos em Munique. Sentimos que, por falta do convívio da igreja, estávamos carentes da pregação, do serviço à comunidade e da união com outros servos de Jesus.

Não ir à igreja e não estar com irmãos na fé deixava uma enorme sensação de vazio. Creio que é por isso que a Bíblia diz que não deixemos de nos reunir como igreja (Hb 10.24-25), pois é nela que podemos nos encorajar diante dos desafios do cotidiano, além de partilhar valores em comum. Diante disso, Merly e eu percebemos a importância de estar inseridos em uma comunidade de cristãos.

Minha família estava sofrendo com o choque cultural, especialmente Ana Caroline, que apresentava problemas de comunicação; afinal, desde pequena, ela teve de se adaptar a diversos idiomas. As crianças me pediam que voltássemos ao Brasil, pois sentiam vontade de morar em sua terra natal, estar perto dos avós e vivenciar a própria cultura. Merly também expressava desejo de voltar. Além do mais, morar novamente no Brasil era um plano que tínhamos desde o início daqueles dez anos de trabalho duro em solo estrangeiro. A essa altura, nossa casa em Alphaville, em Barueri (SP), já havia sido construída e estava mobiliada.

Passei também dificuldades no clube, entre elas as trocas que o técnico fazia. A partir de determinado jogo, ele começou a me substituir constantemente, colocando outro jogador em meu lugar. Isso me deixava nervoso e desestimulado. Afinal, queria participar do início ao fim da partida, ganhar espaço e fazer uma bela história no futebol árabe. Em uma dessas substituições, como ato de indignação e protesto, tirei a camisa em pleno

Em uma dessas substituições, como ato de indignação e protesto, tirei a camisa em pleno gramado, o que o técnico considerou desrespeito. Como punição, ele suspendeu minha participação nos treinos.

gramado, o que o técnico considerou desrespeito. Como punição, ele suspendeu minha participação nos treinos. Essa situação só fez aumentar a minha vontade de atender ao pedido de minha família de retornar ao Brasil.

Hoje, porém, mais maduro e vendo a situação com a cabeça fria, creio que tirar a camisa no gramado não foi uma atitude sábia de minha parte. Afinal, estava em solo estrangeiro e devia obedecer a essa regra de conduta. Obviamente, meu intuito não era desrespeitar um código local, muito pelo contrário, esforçava-me para me portar da melhor forma possível. No entanto, cedi a um momento de indignação e sofri as consequências disso. Em momentos assim, o melhor é se acalmar e esperar a poeira baixar, crendo que Deus vê tudo e que ele nos ajudará a resolver os problemas.

O precipitado jamais experimentará o sucesso, mas colherá os malefícios de sua atitude irresponsável. Já o sábio vê bem a situação e porta-se de maneira inteligente. Aprendi muito com o erro que cometi. Hoje, teria uma postura diferente. Aliás, deixe-me fazer uma pergunta: como você se comporta diante dos momentos de estresse? Acalma-se, conta até dez e deixa que a situação se amenize, ou explode, age precipitadamente e se arrepende depois?

Tenha o cuidado de manter o equilíbrio emocional, principalmente nos momentos de grande pressão, pois, geralmente, cometemos grandes erros quando estamos com a cabeça quente. O atleta, por exemplo, deve administrar bem seus momentos de fúria e indignação, sentimentos muito comuns no esporte, principalmente quando experimenta derrota ou injustiça. Você deve se lembrar de ações impensadas de grandes nomes do esporte, como um ato de violência ou uma falta grave cometida em um momento de tensão. Diante do esgotamento mental, é fundamental respirar fundo, recobrar o juízo e agir com serenidade. Difícil? Claro que sim, mas duvido que alguém se arrependa de ter se comportado assim. Não quero dizer, no entanto, que você deve se comportar de forma apática e sem vigor diante de um erro latente. Com firmeza e educação, conseguem-se grandes resultados, tanto no esporte quanto na vida pessoal e profissional.

O salmo 37 traz belas lições acerca da importância de evitarmos a ira e rejeitarmos a fúria, confiando que Deus está atento à causa de seus servos e tornará pública a inocência deles.

> Confie no SENHOR e faça o bem, e você viverá seguro na terra e prosperará.
> Busque no SENHOR a sua alegria, e ele lhe dará os desejos de seu coração.
> Entregue seu caminho ao SENHOR; confie nele, e ele o ajudará.
> Tornará sua inocência radiante como o amanhecer, e a justiça de sua causa, como o sol do meio-dia.
> Aquiete-se na presença do SENHOR, espere nele com paciência.
> Não se preocupe com o perverso que prospera, nem se aborreça com seus planos maldosos.
> Deixe a ira de lado! Não se enfureça!
> Não perca a calma; isso só lhe trará prejuízo.
> Pois os perversos serão destruídos, mas os que confiam no SENHOR possuirão a terra.
>
> Salmos 37.3-9

Sempre que o estresse ou uma injustiça bater à sua porta, lembre-se dessas verdades poderosas. Creia que Deus lutará por sua causa e fará sua inocência resplandecer diante de todos. Não se enfureça, mas acalme-se. Aplique esses princípios à sua situação e colha benefícios duradouros.

Retorno ao Brasil

Não foram apenas as substituições que me fizeram desanimar de continuar no Al-Wahda. Percebi que no time havia jogadores que tinham outros empregos em paralelo à carreira de futebolistas e pensei que deveria haver melhores oportunidades em outros lugares. Avaliei a situação e, seis meses depois de me mudar para Abu Dhabi, decidi retornar ao Brasil.

A conversa com a direção do time foi amistosa, embora temessem que eu cobrasse pelo restante combinado em contrato. Mesmo diante de um prejuízo, não fiz questão do dinheiro. Pedi somente o salário que me cabia, apressado em arrumar a mudança e embarcar rumo a São Paulo. Houve um pouco de resistência, obviamente, mas logo cederam, abrindo caminho para que Merly, as crianças e eu regressássemos à nossa terra.

Enviamos alguns pertences ao Brasil via transportadora e doamos outros. As crianças ficaram felizes por poder retornar ao país em que nasceram e no qual moram seus familiares. Por fim, teriam a possibilidade de conviver com os avós, tios e primos. Eu também fiquei animado com a ideia de voltar a viver em meu país depois de tantos anos morando em solo estrangeiro. Além disso, sentia falta da igreja e sabia que aqui poderia fazer parte de uma comunidade, ajudar os irmãos na fé e crescer na vivência dos preceitos bíblicos.

Considero o tempo que passei nos Emirados Árabes como um período de crescimento pessoal. As dificuldades enfrentadas me fizeram aterrissar e ver que, apesar da fama e da estabilidade, tudo era passageiro. Havia elementos em minha vida mais importantes que a carreira ou o nome estampado nos jornais e revistas. Eu queria ver Merly, Luiz Felipe e Ana

Caroline bem, sentindo-se felizes e realizados; fazer parte de uma comunidade de cristãos onde pudesse utilizar outros talentos que o Senhor me confiara para trazer o seu reino à terra; e estar com minha mãe, meus irmãos e entes queridos, partilhando das alegrias e tristezas do dia a dia.

Como cristão em um país árabe, passei a valorizar a liberdade religiosa, a possibilidade de cultuar o Senhor em público, de andar com minha Bíblia nas ruas e poder testemunhar minha fé em Cristo abertamente, sem receios ou vergonha. Embora não tenha sofrido nenhum tipo de perseguição, sabia que em Abu Dhabi não poderia vivenciar a fé cristã tão abertamente como o fazemos no Brasil, onde há cultos a céu aberto e igrejas espalhadas por todo o país. Passei a ver a importância de testemunhar a fé, seguindo o bom exemplo dos árabes, que não se intimidam de falar sobre aquilo em que creem, que se ajoelham em qualquer lugar para orar. Dessa mesma forma intrépida quero falar do amor de Jesus Cristo, meu Salvador e amigo, que me amou e se entregou por mim. Esse mesmo Jesus que deseja que eu seja luz na sociedade, anunciando que é possível sermos bondosos uns com os outros, fazendo do mundo um lugar melhor para viver.

Lá, aprendi a valorizar ainda mais o tempo de comunhão com amigos e irmãos na fé, o dia a dia em comunidade e a partilha do cotidiano com outras pessoas que compartilham a mesma visão de vida. No tempo que passei em Abu Dhabi, senti falta do abraço, das ministrações e dos conselhos de pessoas sábias que partilham princípios em que eu acreditava.

Também aprendi a importância de valorizar aquilo que tenho, pois, talvez, em um momento de euforia para desbravar um novo horizonte, eu não tenha visto todo o cenário que estava ao meu redor e lhe dado o devido valor. Creio que muitos jovens erram nisso. Pelo fato de estarem cheios de empolgação e vislumbrarem um futuro promissor, embarcam em uma aventura de riscos, correndo sérios perigos. Se fosse hoje, aceitaria a proposta de ir aos Emirados Árabes com mais cautela, avaliando cuidadosamente os prós e os contras, pois o que, em termos financeiros, pode ser bom, em termos pessoais, emocionais e espirituais pode ser ruim.

Qualidade de vida é algo que vai além da conta bancária; é bem-estar, paz, tranquilidade e felicidade, dádivas que, a meu ver, não têm preço, são de valor inestimável. É como o sábio rei Salomão escreveu no livro bíblico de Eclesiastes: "É melhor ter um punhado com tranquilidade que dois punhados com trabalho árduo e correr atrás do vento" (Ec 4.6).

Sempre que estiver diante de uma nova oportunidade, avalie a situação calmamente, não se aventure sem ponderar antes os custos e os benefícios. Quanto de seu tempo será investido? Isso afetará sua vida familiar de forma positiva? Quais são os riscos mais prováveis? É claro que todo desafio envolve uma decisão, e não há decisão que não contenha riscos. O importante aqui é ter cautela e calma, para não se arrepender depois.

Se você é cristão, lembre-se de que a oração é fundamental nesses momentos, pois, por meio dela, nos conectamos a Deus. O prazer do Pai é guiar seus filhos por meio da direção do Espírito Santo. Diante de decisões cruciais, passe tempo em silêncio e busque ouvi-lo diligentemente; assim, evitará percalços na jornada. Mantenha a calma, lance sobre Deus toda a sua ansiedade e lembre-se de que não precisa estar preocupado com coisa alguma, pois Deus cuida de você (Fp. 4.6; 1Pe 5.7).

Com minha volta antecipada ao Brasil, iniciou-se um novo tempo em minha vida. Devo dizer que novas dificuldades apareceram, fato que me fez amadurecer muito. Foi nesse período que Deus começou uma revolução em minha vida e de minha família.

Paulo Sérgio atendeu prontamente ao chamado de Deus para o pastorado e, em 2012, passou a liderar a Comunidade Transformados pela Fé, em Barueri (SP).

6 DE GOLEADOR A PASTOR

Quando retornamos ao Brasil, minha esposa, meus filhos e eu desfrutamos de um tempo de extrema felicidade. Era muito bom voltar às nossas raízes e estar perto daqueles a quem amávamos. Além disso, tínhamos a possibilidade de fazer parte de uma comunidade de cristãos em nossa terra e ajudar a igreja em suas necessidades. Durante o tempo em que estive na Alemanha, jogando para o Bayern de Munique, Merly e eu recebemos uma incumbência especial para o serviço na igreja: ela foi separada como evangelista, e eu, como presbítero.

Caso você não saiba, explico o que isso significa. Um evangelista é a pessoa que reconhecidamente recebeu a capacitação para expor o evangelho de Jesus Cristo àqueles que não o conhecem. O evangelista entende que Deus o escolheu para anunciar as boas-novas de salvação e vê o mundo com compaixão, esforçando-se para levar a mensagem da graça a todas as pessoas, cumprindo o mandamento de Cristo: "Vão ao mundo inteiro e anunciem as boas-novas a todos" (Mc 16.15). Já o presbítero tem entre suas responsabilidades cuidar dos irmãos na fé, zelando por eles, instruindo-os de acordo com a Bíblia. Deve ser um homem de comportamento exemplar, pois deve supervisionar as necessidades da comunidade, utilizando como ferramentas a oração, o ensino e a liderança inspiradora.

Merly e eu víamos com grande seriedade nossos papéis, pois sabíamos que Deus preza pela excelência em sua obra e tem grande zelo por seus filhos. "Eu sou o bom pastor. O bom pastor sacrifica sua vida pelas ovelhas" (Jo 10.11), disse Jesus. Seja na igreja ou na vida profissional, somos chamados a atuar com excelência. Aquele que é relaxado em seu ofício dá mau testemunho; já quem busca a excelência naquilo que faz logo será promovida (Pv 22.29). Experimentei essa verdade de forma bastante contundente em minha carreira como futebolista.

Assim que entendi o propósito de Deus para minha vida e na minha carreira, passei a esforçar-me para agregar valor às atividades que desempenhava, priorizando o desenvolvimento de habilidades e o bom exemplo diante dos demais. Com isso, os resultados vieram na forma de gols, elogios e oportunidades até então inimagináveis. Portanto, seja em campo, seja na igreja, seja no trabalho, seja no casamento, seja em qualquer outra área da vida em que tenhamos um papel a desempenhar, devemos nos esforçar para fazer sempre o melhor. Pense por um instante: Quanto tempo você dedica à busca da excelência naquilo que faz? Não se contente com menos do que a excelência. Empenhe-se e supere-se, a cada dia avançando um passo. Se você é jogador de futebol, torne-se cada vez mais íntimo da bola, treinando sempre que possível e cuidando de seu condicionamento físico; se é pastor, cuide das pessoas de sua congregação com zelo e inteireza de coração, leia a Bíblia, ore e dedique-se ao estudo; se é esposo e pai, empenhe-se em ser o melhor marido e pai do mundo! Esse é o espírito! E lembre-se: aprimoramento exige empenho.

Para atuar com excelência é preciso estudar e se engajar para lapidar as competências. Com esse objetivo em mente, devemos evitar a preguiça e a apatia, dois grandes inimigos do sucesso.

Deus não aprova o comportamento do preguiçoso; muito pelo contrário, o reprova, convidando-o a mudar de atitude e a agir com responsabilidade diante das tarefas diárias.

A Bíblia critica muito a preguiça, especialmente no livro de Provérbios. Esse livro repleto de sabedoria afirma que quem trabalha com dedicação chega a ser líder, já o preguiçoso se torna escravo (12.24), muito quer e nada alcança (13.4), tem seu caminho bloqueado por espinhos (15.19), passa fome devido à sua apatia (19.15), não terá comida no tempo da colheita (20.4), deseja muitas coisas, mas acaba em ruína, pois suas mãos se recusam a trabalhar (21.25).

Se Deus lhe confiou algo a fazer, faça-o da melhor forma possível. Aplique-se para ser excelente. Assim, não apenas você será beneficiado, mas todos ao seu redor. A excelência é como uma árvore frutífera que gera bons frutos que, por sua vez, beneficiam tanto o agricultor que plantou a boa semente como aqueles que convivem com ele.

Durante o tempo em que vivemos em Munique, Merly, meus filhos e eu fazíamos parte de um grupo de cristãos que se reunia para orar, cultuar a Deus e estudar as Escrituras. Esse grupo solidificou-se e passou a se chamar Igreja Cristã Brasileira, um trabalho que continua até hoje em solo alemão, sob a liderança de Theodoro Friesen, um pastor evangélico muito comprometido com a obra. Foi também nesse tempo que ajudamos Romário Garcia Santos, um pastor querido e muito amigo nosso, a fundar uma igreja na Zona Leste de São Paulo, o Ministério Restauração da Fé, localizada na Vila Prudente. A primeira reunião, no dia 14 de abril de 2000, reuniu cerca de trezentas pessoas sedentas por ouvir a pregação e animadas para dar honra,

> *A excelência é como uma árvore frutífera que gera bons frutos, que, por sua vez, beneficiam tanto o agricultor que plantou a boa semente como aqueles que convivem com ele.*

glória e louvor a Deus. Pastor Romário e sua esposa, Márcia Barbosa Santos, desenvolvem até hoje um belo trabalho, focado na restauração de vidas.

Ao sair do Al-Wahda e voltar ao Brasil, no início de 2003, Merly e eu nos inserimos nessa comunidade e passamos a desenvolver ali o ministério a nós confiado, ela como evangelista e eu como presbítero. Louvo a Deus por essa comunidade forte e pujante na obra do Senhor, uma casa de pessoas comprometidas em viver os preceitos da Bíblia e em demonstrar diligentemente o amor cristão no dia a dia.

ESPORTE CLUBE BAHIA

Foi justamente nesse período de volta ao Brasil que tive uma conversa com Paulo Maracajá, na época conselheiro do Esporte Clube Bahia. Na ocasião, ele me fez o convite para ingressar no time baiano, que recebi com muita alegria. Fazer parte daquela equipe era a chance de fazer parte de um clube tradicional muito prestigiado entre os brasileiros. A proposta salarial não era ruim para os padrões brasileiros. Animado com a oportunidade, apertamos as mãos, sinalizando o meu *sim*. Combinamos que eu seria contratado para atuar como atacante pelo período de um ano.

Nesse meio tempo, Nelsinho Baptista, que tinha sido meu técnico no Novorizontino e no Corinthians, sabendo de minha volta ao país, convidou-me para entrar no Flamengo, um dos gigantes do futebol do Rio de Janeiro. No entanto, recusei a proposta, pois já tinha dado a palavra a Maracajá e não podia voltar atrás, pois sempre considerei a palavra dada como algo sagrado. Eu jamais voltaria atrás, mesmo que aquilo significasse perda financeira. Essa postura é fundamental para manter minha reputação, especialmente como atleta cristão. A Bíblia diz que a boa reputação vale mais que grandes riquezas, e ser estimado é melhor que prata e ouro (Pv 22.1).

Chegando em casa, relatei o ocorrido a Merly, que prontamente me apoiou. Durante todos os anos de carreira, por mais difíceis que tenham sido as nossas decisões, Merly nunca deixou de ser uma coluna de sustentação em minha vida; sempre teve a palavra adequada no tempo oportuno e atitudes sábias visando ao bem de nossa família. Ao me casar com ela, Deus me deu uma grande riqueza. Sei que é verdade o que o escritor de Provérbios disse ao afirmar que a mulher virtuosa é mais preciosa que rubis, cujo "marido tem plena confiança nela, e ela lhe enriquecerá a vida grandemente" (Pv 31.10-11).

Após conversar bastante com Merly, decidimos não realizar a mudança de toda a família para a Bahia. Durante o meu tempo ali, ela ficaria em nossa residência, em Barueri (SP), com meus filhos, e eu me mudaria para Salvador, vindo para casa sempre que tivesse folgas. Creio que foi a decisão mais acertada que podíamos ter naquele momento, pois as crianças estavam indo bem na escola, e Ana Caroline, que anteriormente apresentava dificuldades na fala em função das constantes trocas de idioma, havia deslanchado em sua comunicação, conversando com muita desenvoltura em português. Além disso, Luiz Felipe e ela haviam feito muitas amizades entre os colegas de classe. Nesse tempo, empreendemos a construção de um hotel fazenda e de um salão de cabeleireiro, negócios de que Merly tomava conta. Tudo estava no lugar! Experimentávamos uma sensação de estabilidade, o que foi muito bom depois de tantos anos morando em terra estrangeira.

Com tudo andando bem em casa, meu objetivo agora era me mudar para Salvador e começar a pré-temporada do Campeonato Brasileiro de 2003, o Brasileirão. Apresentei-me ao Bahiano início da tarde do dia 19 de março daquele ano, fato que teve repercussão na imprensa esportiva nacional. Fui recepcionado por Marcelo Guimarães, presidente do clube, e por Paulo Maracajá, conselheiro do time, com quem já havia conversado anteriormente.

Depois de conceder entrevistas a diversos jornalistas, fomos conhecer o centro de treinamento do Bahia, o Fazendão, em Salvador. Curiosamente, minha estreia no tricolor baiano foi em uma partida contra o Flamengo — time que me havia feito a proposta de contratação — no estádio da Fonte Nova, também em terras soteropolitanas, em 6 de abril daquele ano.

Enquanto eu estava em Salvador, Merly tocava os negócios da família em nosso escritório em Alphaville e, às vezes, fazia visitas surpresas ao *flat* em que morei durante minha atuação no Bahia. Como era bom receber suas visitas! Conversávamos, falávamos dos últimos acontecimentos e dávamos força um ao outro. Por mais que a vida como jogador me fizesse viajar muito e me ausentar vez ou outra, sempre cuidávamos para estar juntos quando possível. Foi justamente durante seu trabalho em nosso escritório que algo muito curioso e feliz aconteceu.

Comunidade Transformados pela Fé

Merly sentia no coração o anseio de fazer algo a mais na obra de Deus, mas não sabia por onde começar. Essa inquietação a levou a conversar com o pastor Romário, nosso líder espiritual, acerca do que estava acontecendo. Por ser um homem de grande sensibilidade espiritual, ele instruiu Merly a orar a respeito, pedindo para Deus mostrar-lhe o caminho. E assim ela fez.

Dois dias depois, duas mulheres a procuraram no intuito de obter aconselhamento. Uma delas estava angustiada com problemas pessoais e pensava em buscar em outras religiões a solução de seus problemas. Merly as convidou para conversar, a fim de que as duas pudessem desabafar e ouvir uma palavra de encorajamento e direção baseada na Bíblia.

Aquelas duas mulheres atenderam ao convite de Merly, que as recebeu prontamente, oferecendo-lhes um ombro amigo. Durante as horas em que passaram juntas, minha esposa lhes expôs verdades sublimes das Escrituras e lhes comunicou as boas-novas do evangelho, que consiste na esperança da vida eterna por meio do relacionamento com Jesus Cristo. Ela deixou claro que Jesus amou o mundo de tal maneira que deu a sua vida em favor dos homens, oferecendo-lhes perdão total. Explicou-lhes que, pela graça divina, toda e qualquer pessoa pode se achegar a ele pela fé e ser recebido como filho de Deus. Merly disse, ainda, que uma vez entregues a Jesus, o Espírito Santo faria morada nelas, capacitando-as a viver de forma plena. O resultado é que, naquela mesma noite, ambas entregaram a vida a Cristo, um momento marcante e decisivo para o que viria.

Ao término da conversa, Merly as aconselhou a buscar uma igreja que pregasse a genuína Palavra de Deus, onde poderiam crescer na fé. No entanto, ambas se recusaram, pedindo que ela própria lhes mostrasse como viver de acordo com os ensinamentos de Jesus. Merly pediu que esperassem, então, o aval do pastor Romário para que ela mesma pudesse orientá-las no caminho da fé. Ele a liberou prontamente. Dessa forma, minha esposa combinou com aquelas mulheres uma reunião de oração na semana seguinte.

No dia combinado para a reunião de oração, Merly foi surpreendida por um fato inesperado: as duas mulheres levaram dez outras, animadas para orar e ouvir uma mensagem baseada na Bíblia. Na semana seguinte, mais uma surpresa: as mulheres trouxeram os respectivos maridos para acompanhar o que já se tornara um pequeno culto, com aproximadamente trinta pessoas. De semana a semana, as reuniões cresciam, contando com gente de longe para ajudar nos cânticos de louvor e para auxiliar no que fosse preciso.

Eu me alegrava muito ao receber as notícias de Barueri, o que me fortalecia para enfrentar aquela

Eu me alegrava muito ao receber as notícias de Barueri, o que me fortalecia para enfrentar aquela fase difícil na vida profissional. Durante os primeiros meses no Bahia, eu não consegui fazer o que queria como atleta.

fase difícil na vida profissional. Durante os primeiros meses no Bahia, eu não consegui fazer o que queria como atleta. Eu sabia que poderia ir além, porém, diversos fatores internos e externos dificultavam meu desempenho.

O time também estava passando por um período de aperto financeiro e, depois de algum tempo, chegou ao ponto de não ter condições de arcar com meu salário. Nesses meses, também sofri contusões que me deixaram frustrado. Somado a isso, sentia muita falta do convívio com meus filhos e minha esposa. Era a primeira vez que ficava longe deles por um longo período de tempo. Definitivamente, eu não conseguia relaxar. Queria tê-los por perto, para ajudá-los em suas atividades diárias e vê-los crescer, como estava acostumado.

Diante de todos esses fatores, cerca de três meses depois de minha contratação, pedi demissão do clube. Com a decisão tomada, comuniquei aos dirigentes minha rescisão, o que foi resolvido com um acordo amigável. Prontamente, voltei de carro a Barueri, uma estratégia para não ter de me encontrar com os jornalistas no aeroporto. A mídia noticiou o ocorrido, mas sem grandes alardes. Em casa e aliviado, dediquei-me à igreja, ajudando como presbítero no Ministério Restauração da Fé. Eu dava suporte no que era necessário, orava, pregava e fazia o que fosse preciso para cuidar daquela comunidade, até mesmo limpar o salão onde eram realizados os cultos.

Foi ao voltar para Barueri que vi o maravilhoso mover que Deus estava fazendo nas reuniões coordenadas por Merly em nosso escritório. Em virtude do crescente número de pessoas que vinham aos encontros, alugamos um espaço em um centro comercial da cidade, que passou a ser uma congregação do Ministério Restauração da Fé em Barueri, isto é, um local no qual nos reuníamos para ler a Palavra, orar e partilhar a fé. Era muito bom ver o que Deus estava fazendo. Passamos a ministrar a Palavra e a auxiliar os irmãos em suas necessidades.

Eu sabia que tinha um chamado ao pastorado, pois já desenvolvia um ministério semelhante quando ainda estava em Munique. Sempre que era indagado sobre receber a ordenação para desempenhar a função de pastor na igreja, eu recusava, pois entendia a seriedade dessa responsabilidade. Eu tinha receio de dar mau exemplo caso fosse expulso em uma partida de futebol. A verdade é que tinha consciência de que precisava me portar de forma que dignificasse a minha fé em Deus.

Creio que os cristãos devem zelar para manter um bom testemunho da fé que professam. É muito negativo quando alguém que se diz servo de Jesus Cristo faz algo que cause descrédito a tão sublime modo de viver. Você pode ler a Bíblia de capa a capa e jamais encontrará um ensinamento que leve a pessoa a uma ação antiética, injusta ou imoral. Pelo contrário, por meio da Bíblia, aprenderá a ter uma vida pautada por verdade, retidão e amor, o que resulta no convívio pacífico com as pessoas e a promoção da equidade e da paz. O comportamento do cristão deve ser exemplar, como o apóstolo Paulo escreveu:

> Você mesmo deve ser exemplo da prática de boas obras. Tudo que fizer deve refletir a integridade e a seriedade de seu ensino. Sua mensagem deve ser tão correta a ponto de ninguém a criticar. Então os que se opõem a nós ficarão envergonhados e nada terão de ruim para dizer a nosso respeito.
>
> Tito 2.7-8

Pouco tempo depois, minha esposa e eu fomos ordenados pastores. Críamos que Deus daria o crescimento àquela comunidade no tempo oportuno. Nossa visão com o trabalho era espalhar as boas-novas a quem quer que fosse. Pouco a pouco, novas pessoas se incorporaram a nossa congregação, ajudando-nos nas diversas necessidades do ministério.

Merly e eu continuamos cheios de fervor pela obra de Deus, com o intuito de derramarmos a vida para impactar nossa cidade por meio da pregação do evangelho. Em obediência a esse chamado divino, alugamos um espaço no Jardim dos Camargos, em Barueri. Com isso, porém, muitos membros de nossa comunidade deixaram de ir aos cultos, pois consideravam o bairro muito perigoso. Tivemos, então, de reiniciar o trabalho praticamente do zero. Hoje, tenho consciência de que a mudança para o novo bairro foi uma das melhores decisões que tomamos.

Pouco tempo depois, minha esposa e eu fomos ordenados pastores. Críamos que Deus daria o crescimento àquela comunidade no tempo oportuno. Nossa visão com o trabalho era espalhar as boas-novas a quem quer que fosse.

Em 2012, mais maduros na fé e cheios do amor de Deus em nosso coração, eu e Merly conversamos com o pastor Romário acerca do anseio que nasceu em nosso coração de fazer daquele ministério uma igreja independente, o que se tornou realidade pouco tempo depois. A igreja passou a se chamar Comunidade Transformados pela Fé.

Ao dar esse passo importante, intensificamos nossa vida de oração e intimidade com Deus, buscando compreender o nosso propósito como igreja. Creio que o nome Comunidade Transformados pela Fé já dava os indícios de qual seria o nosso DNA: tínhamos o intuito de ser um grupo de pessoas que se ajudavam mutuamente, partilhavam as dores e as alegrias do cotidiano, e viam em Jesus Cristo, o Salvador da humanidade, a paz para o presente e a esperança para o futuro.

Essa comunidade era formada por pessoas transformadas, ou seja, que vivenciavam o processo de renovação na maneira de ser, pensar e agir mediante o conhecimento das Escrituras cristãs. Éramos uma comunidade de pessoas imperfeitas, mas que experimentavam o aperfeiçoamento e a santificação por meio do agir do Espírito Santo. Tal transformação era resultado da fé, dom que Deus nos dá por sua misericórdia, assim como a Bíblia diz:

> Vocês são salvos pela graça, por meio da fé. Isso não vem de vocês; é uma dádiva de Deus. Não é uma recompensa pela prática de boas obras, para que ninguém venha a se orgulhar. Pois somos obra-prima de Deus, criados em Cristo Jesus a fim de realizar as boas obras que ele de antemão planejou para nós
>
> Efésios 2.8-10

De fato, todo ser humano pode ser transformado pela fé! Toda pessoa pode experimentar uma nova realidade em sua vida, a certeza do perdão de seus pecados e a convicção de que é salvo e um dia vai morar no céu. Tudo o que é preciso é reconhecer-se transgressor da vontade de Deus, arrepender-se de cada ato de desobediência, pedir perdão a Deus por isso e abraçar Jesus Cristo como Senhor de sua vida e Salvador de sua alma, passando a praticar as boas obras decorrentes da fé em Jesus.

Com o tempo, o espaço que alugamos no Jardim dos Camargos, em Barueri, ficou pequeno. Todos os domingos, mais de 150 pessoas se apertavam para cultuar a Deus conosco. Era hora de mudar e encontrar um novo local, onde poderíamos crescer. Não demorou muito e, em 2015, inauguramos a Arena Transformados pela Fé, um lindo local de culto com capacidade para quatrocentas pessoas, na Alameda Tocantins, região de Alphaville, em Barueri. Toda a comunidade ficou animada com a expansão do ministério e prontamente se engajou no projeto de mudança. Hoje, a comunidade conta com mais de 350 membros, pessoas de diferentes idades que se encontram semanalmente para viver a vida cristã em unidade e promover o reino dos céus na terra.

Poder pastorear tantas vidas ao lado de minha esposa é um grande privilégio, pois é uma honra compartilhar as verdades maravilhosas da Bíblia e ajudar centenas de pessoas que buscam em Jesus, por nosso intermédio, o auxílio para seus fardos.

Depois de abandonar os gramados, Paulo Sérgio passou a enfrentar novos desafios, como representar o futebol alemão no Brasil e atuar como comentarista em importantes veículos da mídia.

7 Novas oportunidades

Em paralelo à minha jornada espiritual e ministerial, minha carreira profissional prosseguia. Antes mesmo de rescindir contrato com o Bahia, a direção do Bayern de Munique havia manifestado interesse de, tão logo eu me aposentasse dos gramados, me contratar como *scout*, aquilo que no Brasil chamamos de "olheiro".

De volta a Barueri, ponderei com calma a proposta, já que alimentava o anseio de começar uma nova fase em minha carreira profissional. Optei por não voltar aos campos, apesar de receber convites para jogar em outros times nacionais e internacionais. De forma tranquila e sem fazer nenhum comunicado à imprensa, aposentei-me como jogador e aceitei o convite para atuar como *scout* do Bayern de Munique na América do Sul. Assim, poderia me dedicar mais à família e à igreja sem sair completamente do esporte. Comecei a desempenhar essa tarefa no segundo semestre de 2003.

Dentre as responsabilidades do cargo, eu deveria avaliar potenciais jogadores em solo latino-americano a fim de indicá-los ao time bávaro. Para cumprir essa incumbência, eu observava praticamente todos os times, ia aos estádios em dias de partida, assistia aos jogos pela televisão e conversava com empresários. Felizmente, eu desfrutava de grande credibilidade no meio esportivo e mantinha interlocução com importantes figuras do esporte internacional. Entre um jogo e outro, eu me dedicava a fazer planilhas e relatórios, que eram enviados à diretoria do Bayern de Munique para consideração. Atuei como *scout* durante seis anos e gostava muito desse papel. De vez em quando, jogava partidas no Masters, time formado por ex-atletas que haviam atuado no Bayern de Munique.

Foi nesse tempo que também fui convidado para ser embaixador no Brasil da marca de artigos esportivos Wilson. Uma oportunidade que me deixou muito contente. Eu teria de visitar escolas e promover o futebol entre a criançada, um trabalho divertido e emocionante, pois podia ver o brilho nos olhos dos pequeninos que viam com admiração um jogador de futebol campeão do mundo no local onde estudavam. Além das visitas às escolas, teria de desenvolver ações de *marketing* da multinacional, ajudando na interlocução com times patrocinados, e viabilizando o fornecimento de materiais como camisas, meias, chuteiras e bolas, entre outros suprimentos. Dois clubes com os quais tive a oportunidade de trabalhar em ações de patrocínio nesse período ganharam importantes campeonatos: o São Caetano, que foi campeão paulista em 2004, e o Paulista de Jundiaí, campeão da Copa do Brasil de 2005. Trabalhei durante três anos nessa função.

Em 2007, fui surpreendido pelo contato da direção da Federação Paulista de Futebol (FPF), que me convidou para atuar como vice-presidente do seu Departamento de Inclusão Social. O trabalho devia ser realizado de forma voluntária. Em contrapartida, me proporcionaria o contato com o braço filantrópico da instituição e, consequentemente, me daria um excelente *networking*, com renomadas figuras do meio esportivo. Topei o desafio.

De posse do cargo, atuei no projeto *Nosso sonho*, cuja missão era trabalhar a inclusão social por meio do esporte, contribuindo para a formação de crianças e jovens. Atendíamos meninos de baixa renda e internos da Fundação Centro de Atendimento Socioeducativo ao Adolescente (CASA) enquadrados em delitos leves. A instituição, vinculada à Secretaria de Estado da Justiça e da Defesa da Cidadania, do estado de São Paulo, aplica medidas socioeducativas, de acordo com as diretrizes e normas previstas no Estatuto da Criança e do Adolescente (ECA) e no Sistema Nacional de Atendimento Socioeducativo (SINASE), a jovens infratores de 12 a 21 anos incompletos. No *Nosso sonho*, os garotos participavam de palestras sobre arbitragem, psicologia do esporte e inclusão digital, e recebiam cestas básicas oferecidas por patrocinadores.

Tenho orgulho de ter participado dessa iniciativa, que foi instrumento para a transformação da realidade de muitos meninos em condição de pobreza. Creio que os políticos do Brasil deviam investir mais em iniciativas como essa, fomentando o aparecimento de talentos no esporte nacional e contribuindo para o desenvolvimento social. Mesmo que o país tenha sediado, em anos recentes, a Copa do Mundo e as Olimpíadas, não vemos continuidade nos investimentos relacionados ao esporte; pelo contrário, deparamos com espaços que custaram fortunas dos cofres públicos e são mal utilizados.

O que seria das comunidades vizinhas aos grandes estádios construídos se essas megaconstruções fossem transformadas em aparatos de educação, sociabilização e inclusão? O que seria de muitos meninos e meninas talentosos se encontrassem ali oficinas focadas no aprimoramento de suas habilidades? É algo para pensar — com seriedade.

NOVOS APRENDIZADOS

Ao me dar conta de que tinha traquejo para lidar com assuntos administrativos, fiz um curso de Aperfeiçoamento em Gestão do Esporte, que me deu base para que eu abrisse a PS7 Participações, uma assessoria voltada a atletas, com foco em *marketing* esportivo. O número sete foi escolhido porque joguei muito com a camisa que levava esse número nos clubes em que atuei.

No ano seguinte, 2008, deixei o trabalho na Federação Paulista de Futebol e passei a atuar como treinador da equipe Red Bull Brasil, uma experiência gratificante. Na época, o clube ainda estava começando no futebol, o que me fez realizar diversas peneiras para descobrir novos talentos. Encontrei muitos jovens com grande potencial e iniciei um treinamento focado na preparação física, tática e concentração.

Infelizmente, durante uma conversa um pouco mais dura que tive com os jogadores, a direção do clube interpretou mal a minha posição e, por considerá-la muito dura, me demitiu do cargo de treinador. Claro que não defendo a ignorância e a rudeza como mecanismos de motivação, jamais! Aquele episódio, no entanto, era diferente. Queria motivá-los para que subissem a um novo patamar, algo que exigiria firmeza de minha parte. De fato, precisamos de alguém que nos abra os olhos e dê uma palavra adequada e dura quando necessário.

O que seria de nós se sempre tivéssemos alguém dando tapinhas nas costas, sem nos abrir os olhos para a realidade que nos cerca? O que seria de nós se só ganhássemos elogios e nunca um *feedback* mais firme, porém construtivo? Seríamos pessoas fracas e com um ego gigantesco. Por isso, antes de ofender-se diante de uma crítica, analise a situação com critério e cuidado. Ao ouvir um conselho sincero, mantenha a serenidade e pondere bem as palavras que lhe foram ditas. Não aceite tudo passivamente, mas, com bom siso, avalie se tais palavras condizem com a realidade, observando se o que está ouvindo é uma crítica construtiva ou negativa. Se for construtiva, aceite-a, por mais dura que seja. Ela será benéfica para o seu crescimento e aprimoramento. Receba-a como um presente, pois nem todo mundo tem coragem de ser transparente.

O livro bíblico de Provérbios ensina que a repreensão franca é melhor que o amor escondido e que o conselho sincero de um amigo "é agradável como perfume e incenso" (Pv 27.5,9). Portanto, não seja orgulhoso, mas humilde, ouça com atenção e peça ajuda se necessário. Se, em contrapartida, perceber que as palavras ditas a você não passam de falácia, ouça seu interlocutor respeitosamente, mas não deixe que a crítica negativa penetre seu coração; descarte-a.

Ao lidar com uma pessoa mal-intencionada, seja humilde e simples, mas prudente e esperto também, seguindo o próprio conselho de Jesus aos seus discípulos ao enviá-los a locais em que encontrariam oposição: "Ouçam, eu os envio como ovelhas no meio de lobos. Portanto, sejam espertos como serpentes e simples como pombas" (Mt 10.16). Ser simples, obviamente, não significa ser bobo.

APRESENTADOR, GESTOR E EMBAIXADOR

Tive o privilégio de participar como apresentador de um *reality show* emocionante, o *Menino de ouro*, exibido aos domingos pelo SBT. O programa, veiculado em 2013, narrava a saga de pequenos jogadores que sonhavam em se tornar jogadores de futebol. Os episódios, cheios de adrenalina, histórias comoventes e partidas emocionantes, colocavam o público em contato com os desafios, as frustrações e as alegrias dos garotos, que não mediam esforços para superar os limites, e seus familiares. O vencedor teria a oportunidade de jogar em um grande time: Corinthians, Palmeiras ou São Paulo.

Atuei ao lado da atriz Karina Bacchi, que era a repórter de campo e responsável por visitar a casa dos participantes; dos jogadores Zetti e Edmilson, que trabalhavam comigo na seleção dos vinte e dois candidatos ao prêmio; e de Marco Aurélio Buchaim Regos, o Marcão, que aplicava os treinos técnicos e físicos. O programa teve tão boa repercussão que fomos convidados para fazer uma segunda temporada, em 2014. Gosto de recordar desse tempo, pois aqueles jovens me faziam lembrar de minha própria história.

Entre 2013 e 2014, também atuei em um cargo público, como secretário de esportes do Município de Barueri, a convite de Gil Arantes, que na época era deputado. A experiência foi enriquecedora. Durante o tempo em que ocupei o cargo, colaborei com importantes iniciativas voltadas à promoção de diferentes modalidades esportivas na região. Trouxe embates do Ultimate Fighting Championship (UFC) por dois anos consecutivos, sem custos para o município, além de fomentar a volta ciclística, o mundial de vôlei de praia e os primeiros jogos regionais da história da cidade.

Entre 2013 e 2014, também atuei em um cargo público, como secretário de esportes do Município de Barueri, a convite de Gil Arantes, que na época era deputado. A experiência foi enriquecedora.

Também promovi o NBA 3X, uma liga profissional de basquetebol de Estados Unidos e Canadá, que trouxe atletas estrangeiros à cidade. Minha atuação como secretário de esportes marcou uma fase de grandes eventos em Barueri. Embora tenha sido nomeado para atuar por quatro anos no cargo, permaneci apenas dois, pois tinha outros objetivos pessoais e profissionais.

Meu contato com o futebol alemão rendeu um convite para trabalhar como embaixador do campeonato alemão no Brasil e no exterior, a partir de 2017. Aceitei-o prontamente. Entre as atividades previstas para a função, estão entrevistas para a imprensa, comentários em jogos pela televisão e rádio, e a promoção de escolinhas de futebol voltadas ao público infanto-juvenil. Considero uma experiência singular ser um canal de interlocução entre o Brasil e a Alemanha, pois conheço de perto a seriedade e o compromisso com a excelência do futebol alemão. Mesmo que os países sejam rivais nos gramados, ambos nutrem um bom relacionamento. Admiro os dois países e vejo neles verdadeiros celeiros de talentos para o futebol internacional.

CONFIANÇA INABALÁVEL DIANTE DO DESCONHECIDO

Desde que me aposentei dos gramados, nunca me faltou trabalho. Deus, em sua infinita graça, jamais me deixou passar necessidade e sei que nunca deixará. Por conhecer o que a Bíblia diz, nunca me preocupei com o futuro, pois sempre soube que Deus traria a provisão no tempo oportuno. Estou certo de que, assim como os pássaros não precisam se preocupar com o alimento de amanhã, também não preciso perder o sono, pois o Pai Celestial sustentará a mim e à minha família. A Bíblia diz: "Fui jovem e agora sou velho, mas nunca vi o justo ser abandonado, nem seus filhos mendigarem pão" (Sl 37.25); "É inútil trabalhar tanto, desde a madrugada até tarde da noite, e se preocupar em conseguir o alimento, pois Deus cuida de seus amados enquanto dormem" (Sl 127.2).

Talvez você esteja enfrentando o desemprego ou um tempo de escassez financeira. Quero incentivá-lo a entregar esse problema a Deus e a ter confiança inabalável nele, crendo que o Criador conhece a situação e não o deixará perecer. Ele suprirá o essencial para a sua subsistência. Não viva preocupado com coisa alguma, em vez disso, ore a Deus e peça aquilo de que precisa, agradecendo-lhe por tudo o que ele já fez. Então você experimentará a paz de Deus, que excede todo o entendimento, e que guardará seu coração e sua mente em Cristo Jesus. Devo lhe dizer que experimentar essa paz é algo maravilhoso. Deus é surpreendente e nunca deixa a desejar. Sei que devo fazer a minha parte, sabendo que ele faz a dele. Se o ponho em primeiro lugar em minha vida, buscando seu reino com diligência e esforçando-me para fazer o melhor que posso, ele me cobrirá com sua graça e me dará forças para prosseguir. É por isso que não deposito minha esperança nas riquezas, no trabalho, na fama ou em qualquer outra coisa, senão em Deus, pois coisas terrenas são efêmeras e passam. Minha esperança está no Senhor, pois com ele sou feliz, sabendo viver na fartura ou na escassez, em tempos de abundância ou de recessão. Assim como o apóstolo Paulo disse, posso afirmar que aprendi a ficar satisfeito com o que tenho. Aprendi o segredo de viver em qualquer situação, de estômago cheio ou vazio, com pouco ou muito. Posso todas as coisas por meio de Cristo, que me dá forças (Fp 4.11-13).

Desde que me aposentei da carreira como jogador, novas oportunidades de trabalho apareceram, vez após vez, garantindo o sustento de minha família. Obviamente, não tomei a decisão de aposentar-me de forma irresponsável, exigindo de Deus a suposta obrigação de me trazer sustento. Claro que não! Ponderei bem o que estava diante de mim e dei passos acertados em direção ao futuro que me aguardava. Orei, busquei orientação na Bíblia, conversei com Merly, pensei com calma. Assim, tudo aconteceu naturalmente, sem pressão ou estresse.

Novas oportunidades

Não olho com melancolia para o passado. Pelo contrário, olho para o que ficou para trás com um coração cheio de gratidão, sabendo que, entre erros e acertos, cresci como profissional e como pessoa, fiz o meu melhor. Hoje, vislumbro o futuro com expectativa, andando passo a passo sem pressa, confiando que o melhor está por vir e aberto a novas experiências. Louvo a Deus por cada vitória, mas sei que elas fazem parte do passado — é necessário viver o hoje com toda a sua intensidade.

Talvez você já tenha "pendurado as chuteiras" e esteja diante de um novo tempo em sua jornada. Pode ser que já não precise ou não possa dedicar tempo a uma profissão em que trabalhou durante muitos anos. Se é esse o seu caso, abra o coração e a mente para o novo. Pode ser que descubra novos talentos e habilidades até então desconhecidos. Não fique apegado a lembranças, de forma que elas ofusquem sua visão em relação ao presente. Avance, crendo que o amanhã também pode lhe reservar surpresas inimagináveis. Mantenha o foco na construção de um legado duradouro, construído com alicerces fortes, como honra, honestidade, integridade e fé. Que, assim como o apóstolo Paulo, você também possa ter a sensação de completude, sabendo que fez aquilo que deveria ser feito. Ele disse: "Lutei o bom combate, terminei a corrida e permaneci fiel" (2Tm 4.7). Que essas sejam as suas e as minhas palavras!

Não permita que a preocupação em relação ao amanhã tire o seu sono ou roube a sua alegria, mas creia que Deus não deixará faltar o sustento para você e sua família. Entregue ao Criador todas as suas necessidades, pois ele cuida de você (1Pe 5.7). É nessa paz e confiança que descanso e vivo o hoje. É com essa fé que caminho em direção ao que está por vir.

Paulo Sérgio com a camisa dos Atletas de Cristo, instituição missionária cristã que presidiu entre 2008 e 2012.

8   Legado Eterno

Hoje, boa parte de meu tempo é dedicado ao ministério pastoral. Aliás, ao olhar para trás, vejo que Deus me preparou durante toda a vida para abraçar essa vocação. Desde os 13 anos, trabalhei com pessoas, precisei aprender a atuar em equipe e a respeitar as diferenças. Como pastor, também devo saber lidar com diferentes personalidades que fazem da igreja um lugar plural, em que seres imperfeitos são santificados dia a dia, tornando-se semelhantes a Jesus.

A vida de um pastor não é fácil. É preciso ter disciplina e zelo para estar espiritual, psicológica e fisicamente pronto para atender aos desafios do ministério. Por isso, sempre que posso, dedico-me ao estudo da Palavra e valorizo o tempo de descanso, que é um princípio bíblico. Principalmente às sextas-feiras, passo tempo de qualidade com minha família, priorizando a restauração das forças para cumprir as demandas de nossa agenda agitada.

Muitas pessoas erram ao negligenciar o descanso e sofrem consequências. Dedicar tempo para recompor as forças é um princípio deixado por Deus logo no começo da Bíblia: "No sétimo dia, Deus havia terminado sua obra de criação e descansou de todo o seu trabalho. Deus abençoou o sétimo dia e o declarou santo, pois foi o dia em que ele descansou de toda a sua obra de criação" (Gn 2.2-3). Creio que aí há um princípio que todos devemos seguir.

Independentemente da área em que atue: esportiva, eclesiástica ou outra qualquer separe um tempo para recompor o vigor. Se você tem a possibilidade de folgar pelo menos um dia, descanse, tire um período de ócio produtivo. É justamente no período de repouso entre um exercício e outro que os músculos crescem e se tornam fortes. Assim também acontece com a mente, as emoções e o intelecto. É nos períodos de pausa e descanso que obtemos energia para desempenhar nossas funções com excelência. O que muitas pessoas fatigadas e exauridas precisam é apenas de uma boa dose de sono e tranquilidade. Nem mesmo o melhor esportista do mundo conseguirá chegar ao pódio se não parar um momento sequer para descansar. Por isso, avalie o seu ritmo e não tenha medo de pisar no freio quando necessário.

Nos dias de trabalho, gosto de aprimorar os sermões que prego. É grande a responsabilidade de ter à frente mais de trezentas pessoas que todas as semanas se reúnem para aprender a caminhada cristã a partir de meus sermões. Sei que minhas palavras as influenciarão a lidar de forma apropriada com os desafios da caminhada e com os percalços da vida. O ensino saudável e a pregação bíblica são fontes de vitalidade para a igreja. A fim de manter-me em dia, pesquiso diferentes assuntos, leio livros e ouço pastores de diversas tradições. Assim, preparo um alimento sólido para sustentar as ovelhas que o Senhor confiou ao meu pastoreio. Merly sempre está ao meu lado, auxiliando-me e desempenhando com amor sua função de pastora.

Nem sempre temos um horário fixo para nossas obrigações junto à comunidade. Às vezes, estendemos o serviço ministerial madrugada adentro, atendendo as pessoas após os cultos. Gosto de aconselhá-las e de ser um pastor presente. Aliás, defendo a ideia de que na igreja não podem existir pastores intocáveis e inalcançáveis.

Fico triste ao ver pastores que assumem uma postura muito diferente do exemplo que Cristo deixou. O Salvador esteve por perto de todos aqueles que o procuraram com o coração desejoso. Pequenos e grandes, ricos e pobres, autoridades e indigentes, todos encontraram refúgio, proteção, edificação, direção, cura, restauração, transformação e salvação em Jesus. Como pastor, devo ter a mesma postura de Cristo, levando as pessoas até ele, a fonte da esperança. Jesus disse: "Venham a mim todos vocês que estão cansados e sobrecarregados, e eu lhes darei descanso" (Mt 11.28).

O AMOR COMO DNA

A Comunidade Transformados pela Fé, a igreja em que atuo como pastor presidente, se reúne três vezes por semana para cultuar ao Senhor. Cerca de setenta pessoas fazem parte da equipe formada por músicos, diáconos, presbíteros, obreiros e intercessores, entre outros. É muito bom ver como esses servos de Deus derramam a vida para fazer um bom trabalho, tendo como principal objetivo promover a cultura do reino de Deus, a qual se resume no amor ao Criador e ao próximo. Aliás, o amor deve nortear toda a vida cristã.

É muito bom ver como esses servos de Deus derramam a vida para fazer um bom trabalho, tendo como principal objetivo promover a cultura do reino de Deus, a qual se resume no amor ao Criador e ao próximo. Aliás, o amor deve nortear toda a vida cristã.

Quando indagado sobre o maior mandamento da Lei, Jesus respondeu: "'Ame o Senhor, seu Deus, de todo o seu coração, de toda a sua alma e de toda a sua mente'. Este é o primeiro e o maior mandamento. O segundo é igualmente importante: 'Ame o seu próximo como a si mesmo'. Toda a lei e todas as exigências dos profetas se baseiam nesses dois mandamentos" (Mt 22.37-40).

O amor está no DNA do cristianismo, portanto, não há possibilidade de ser cristão sem amar. O amor é a força motriz de nossos atos, a motivação que nos faz avançar. Sim, o amor permeia toda a ética cristã, que está concentrada na promoção do bem, da justiça e da fraternidade. Para o cristão, o amor é mandamento, não apenas um sentimento, é o chamado diário de amar até mesmo os inimigos, de ser caridoso com aqueles que o perseguem (Mt 5.44). É o amor que habita os pensamentos do servo de Cristo e orienta sua forma de lidar com a realidade que o cerca.

O apóstolo Paulo escreveu:

Se eu falasse a língua dos homens e dos anjos, mas não tivesse amor, seria como um sino que ressoa ou um címbalo que retine.

Se eu tivesse o dom de profecias, se entendesse todos os mistérios de Deus e tivesse todo o conhecimento, e se tivesse uma fé que me permitisse mover montanhas, mas não tivesse amor, eu nada seria.

Se desse tudo que tenho aos pobres e até entregasse meu corpo para ser queimado, e não tivesse amor, de nada me adiantaria.

O amor é paciente e bondoso. O amor não é ciumento, nem presunçoso. Não é orgulhoso, nem grosseiro. Não exige que as coisas sejam à sua maneira. Não é irritável, nem rancoroso.

Não se alegra com a injustiça, mas sim com a verdade.

O amor nunca desiste, nunca perde a fé, sempre tem esperança e sempre se mantém firme.

Um dia, profecia, línguas e conhecimento desaparecerão e cessarão, mas o amor durará para sempre

1Coríntios 13.1-8

Nutro em mim a esperança do céu. Creio que todos os que entregaram a vida a Cristo e, em decorrência de sua fé nele, viveram de forma correta aqui na terra partilharão desse extraordinário modo de viver, no qual o próximo tem primazia e todos vivem em plena comunhão, na presença do Senhor para todo o sempre. É com a missão de conquistar mais pessoas para esse reino que me dedico com perseverança ao pastorado e à pregação das boas-novas de salvação de Jesus.

ATLETAS DE CRISTO

A cada quinze dias, a Comunidade Transformados pela Fé promove encontros da missão Atletas de Cristo, ministério de que gosto muito, até porque foi por meio desse trabalho que conheci o evangelho de Jesus e me converti.

Atletas de Cristo é um movimento integrado por desportistas de várias modalidades, classes sociais e grupos étnicos, que reconheceram Jesus Cristo como Salvador pessoal e único caminho de ligação entre o homem e o Deus único, eterno e criador de todas as coisas. A organização coopera com as igrejas e outras instituições cristãs, promovendo a integração entre igrejas, desportistas e os torcedores por eles influenciados.

Os Atletas de Cristo usam o futebol como uma ferramenta para transmitir o carisma cristão e para mobilizar recursos para ajudar a população local que, na maioria dos casos, é vitimada por diversos tipos de males e carências.

Tive a honra de presidir a missão Atletas de Cristo entre os anos de 2008 e 2012. Por meio desse trabalho, atuei em ações de ajuda humanitária em locais como África do Sul, Austrália, Burundi, Chile, Indonésia, Fiji, Líbano, Madagascar, Malásia, Marrocos, Mianmar, Moçambique, Quênia, Singapura, Tailândia, Uganda e Vietnã. Os Atletas de Cristo usam o futebol como uma ferramenta para transmitir o carisma cristão e para mobilizar recursos para ajudar a população local que, na maioria dos casos, é vitimada por diversos tipos de males e carências.

Emociono-me ao recordar de uma partida que organizamos em Mianmar, logo após o tsunami que varreu parte do país, em 2008. Diante de tanto sofrimento, vimos que além de ajuda financeira, a população precisava de um momento de alívio e refrigério. Convidamos alguns jogadores brasileiros para um embate contra um time local. A novidade chamou a atenção de uma plateia numerosa. Ao final da partida, conseguimos fundos suficientes para montar uma escola. Já construída, a instituição recebeu o nome de *Escola Brasil*.

As ações dos Atletas de Cristo que acontecem em zonas de vulnerabilidade social são destituídas de luxo. Aqueles que desejam participar se disponibilizam para atuar voluntariamente, tendo como único propósito ajudar os necessitados e, de alguma forma, comunicar o amor de Jesus. Geralmente, as viagens são viabilizadas por juntas missionárias ou por empresários benevolentes que financiam os projetos. Tudo é estudado previamente por um missionário local, que comunica a necessidade de receber alguma atividade humanitária. Infelizmente, em virtude do tempo que as viagens consomem, nem todos os atletas que gostariam de participar têm a oportunidade de fazê-lo. Para Fiji, por exemplo, gastamos cerca de cinquenta horas no trajeto do Brasil até essas ilhas da Oceania.

Nas missões, muitas vezes fazemos longos percursos de carro sem nenhum conforto. É preciso estar disposto a sofrer limitações e a passar apuros. No entanto, mesmo com toda dificuldade, é uma satisfação ver a alegria de crianças, jovens e adultos que se emocionam ao prestigiar a *performance* dos estrangeiros nos embates contra os times locais. Não pense você que os jogos são moleza! Já enfrentamos seleções que nos deram muito trabalho.

Nas viagens, visitamos escolas e comunidades e, sempre que possível, realizamos clínicas esportivas. Nelas, oramos e conversamos com crianças e jovens, que comparecem aos encontros com muita expectativa. Por meio dos treinamentos, procuramos comunicar lições importantes de liderança, comportamento, superação e ética. Nem sempre podemos falar do evangelho abertamente, devido a restrições de muitas nações ao cristianismo e à perseguição religiosa, mas cremos que nossas atitudes falam alto. De alguma forma, tentamos demonstrar-lhes que o amor do nosso Deus nos levou até ali.

É impressionante ver como o esporte abre portas para o evangelho. Onde um pastor ou missionário não consegue chegar, um jogador consegue. Deus, em sua infinita sabedoria, pode usar diversas estratégias para tocar os corações, como uma equipe de jogadores de futebol que viaja gratuitamente para levar aos necessitados um momento de descontração, aprendizado e alegria.

Tenho plena convicção de que uma ação como essa pode transmitir uma mensagem altamente eloquente, que conquista pais e filhos. Hoje não estou mais no corpo diretivo dos Atletas de Cristo, mas faço questão de manter um polo na igreja em que presido. Quando possível, participo dos excelentes congressos dos Atletas de Cristo que acontecem Brasil afora, sempre com temas relevantes para a vida pessoal e familiar.

Cuidados de um pastor

Seja falando com uma congregação repleta de atletas, seja falando com pais de família, trabalhadores, adolescentes, crianças ou donas de casa, prezo para que as minhas pregações sejam relevantes para o cotidiano deles. Uma boa pregação é aquela que se baseia na Bíblia, permeada pela unção do Espírito Santo e repleta de vivacidade.

Não é por acaso que, com muita frequência, sentimos que o pastor falou diretamente ao nosso coração, focando nosso problema. Isso acontece porque Jesus é o Senhor da Igreja e sabe o que o seu rebanho precisa ouvir. Estar em sintonia fina com Deus é primordial para que o pastor consiga alimentar as ovelhas com alimento adequado. É muito bom chegar em casa depois de um culto e sentir que o dever foi cumprido, que a igreja está nutrida com o bom alimento da Palavra de Deus.

Um bom pastor, no entanto, não pode se esquecer de que, antes de pastorear a congregação, deve pastorear a sua família. Por isso, deve amar a esposa assim como Cristo amou a Igreja, devotando-lhe amor sacrificial, e tratar os filhos de forma a extrair deles o que cada um tem de melhor, ensinando-lhes que o caminho da obediência é a melhor opção para que tenham sucesso na vida.

Se você é marido, lembre-se de que sua esposa é preciosa e deve ser alvo de toda a sua atenção. Se é pai, tenha cuidado com o tratamento que dispensa aos filhos. Encoraje-os a dar o melhor de si, levando-os a sentir que são amados, valorizados e queridos por você. Essa postura fará um enorme bem para o seu ambiente familiar, conectando todos por um sentimento positivo de partilha, amor e união.

O amor, o respeito, a harmonia e a cooperação devem nortear o lar de todo aquele que deseja viver dias felizes, honrando a Deus e valorizando a família. Infelizmente, diante da fama, muitas pessoas deixam esse aspecto da vida passar despercebido. Casam-se e separam-se como quem troca de carro ou de casa. Não quero aqui julgar os motivos que levam uma pessoa a separar-se ou a ter uma vida emocionalmente instável, só afirmo que há alegria plena e satisfação além de todo entendimento quando temos um lar construído sobre o forte alicerce da Palavra de Deus, pois a vontade do Pai para a nossa vida é boa, perfeita e agradável (Rm 12.2).

> *O amor, o respeito, a harmonia e a cooperação devem nortear o lar de todo aquele que deseja viver dias felizes, honrando a Deus e valorizando a família. Infelizmente, diante da fama, muitas pessoas deixam esse aspecto da vida passar despercebido.*

A família é a base do homem, o primeiro agente socializador. É no âmbito do lar que aprendemos as noções mais elementares da vida em comunidade e nos desenvolvemos como seres humanos. A criança que vive em um lar forte, onde há princípios bem estabelecidos, cresce com mais segurança, o que influencia seu emocional. Ensinar às crianças o caminho da retidão, conforme explicitado na Palavra de Deus, é o melhor investimento que os pais podem fazer. "Ensine seus filhos no caminho certo, e, mesmo quando envelhecerem, não se desviarão dele" (Pv 22.6).

Sempre procurei ser um pai presente, priorizando o convívio com meus filhos, mesmo quando a vida profissional me pressionava contra esse objetivo, em virtude das inúmeras viagens para as partidas de futebol. Para onde eu me mudava, Merly, Felipe e Ana Caroline se mudavam também. Dessa forma, nossos vínculos se tornaram fortes e continuam viçosos até hoje. Alegro-me ao ver meus filhos alicerçados em valores sólidos, priorizando o amor fraternal. Creio que eles saberão conduzir sua família de forma exemplar, pois, durante toda a infância e a adolescência, eles vivenciaram a aplicação dos princípios da Palavra de Deus em nosso dia a dia familiar. Invisto em minha família, sabendo que, diante de Deus, eu sou responsável por desempenhar bem o papel de líder do lar e de pastor, servindo como exemplo para a congregação.

Como pastor, não procuro comportar-me como pai das ovelhas confiadas ao meu ministério. O Pai é Deus. Eu sou apenas um auxiliar que o ajuda no seu pastoreio. Minha função é levar as pessoas a Cristo, e não a mim. É necessário que Jesus cresça e que eu diminua. Nessa sublime vocação, devo cuidar das feridas das ovelhas que estão machucadas e tratar as enfermidades das que estão doentes. Para isso, apego-me às Escrituras e à oração, a fim de ter o discernimento e a unção que vêm por meio da comunhão com o Espírito Santo. É maravilhoso ver uma vida outrora destruída pelo pecado ser restaurada pelo poder de Deus.

Conquistas que duram para sempre

Como jogador de futebol, tive a oportunidade de ganhar dinheiro e de viver com muito conforto, mas, hoje, com toda a experiência que tenho, sei que dinheiro não é tudo. É óbvio que todos queremos ter estabilidade financeira e desfrutar de algumas facilidades, mas alegria verdadeira não depende da conta bancária nem da quantidade de carros que temos na garagem. A alegria verdadeira são vida e paz na presença de Cristo, sabendo que fazemos o melhor para alcançar os objetivos que almejamos.

Em minha carreira como esportista, poderia ter ganhado muito mais, feito fortuna e alcançado patamares elevados de riqueza material. Mas, em vez de focar minha atenção no dinheiro, a direcionei para a superação em campo, com o objetivo de ser um membro importante para as equipes de que participei. Direcionei meus esforços na missão de dar orgulho aos torcedores, fazer história e ganhar campeonatos. Isso me levou a honrar as camisas que vesti e alcançasse grandes feitos no esporte, conquistando muitos amigos. Jamais tive como objetivo principal tornar-me rico.

O amor ao dinheiro é a raiz de todo mal. Muitos, por cobiçarem fortunas, caem em tentações e armadilhas e deixam-se dominar por muitos desejos tolos e nocivos que os levam à ruína e à destruição (1Tm 6.9-10). Quem deseja ser bem-sucedido em todos os aspectos da vida, pessoais, profissionais ou espirituais, deve ter essa verdade em mente e evitar o amor ao dinheiro.

Agradeço a Deus, pois, mesmo sem ter a vida financeira como principal foco de meus esforços, ele sempre me surpreendeu, fazendo tudo além do que poderia pensar ou imaginar. Fico feliz em poder ter ajudado muitos familiares e por construir um legado para minha família. Algumas alegrias, como o primeiro carro ou a primeira casa própria, são inesquecíveis. Além disso, é muito bom colaborar para a manutenção da igreja de Cristo.

Durante um bom tempo, sustentei o trabalho de pregação das boas-novas de Jesus no ministério que abrimos em Barueri com dinheiro do próprio bolso, e pude ver como as sementes lançadas naquele trabalho frutificaram abundantemente. Muitos dos frutos que eu colho hoje, como a felicidade de ver uma comunidade pujante que já caminha com os próprios pés e a amizade de inúmeras pessoas, são resultados daquela semeadura.

Como gosto de ir à igreja! Ela é uma das colunas de minha vida; é como o combustível que me faz voar mais alto. Nela, sou nutrido com o sólido alimento da Palavra de Deus e sou lapidado por meio do convívio com outros irmãos mais experientes e vividos, mais teimosos e ranzinzas, ou mesmo pelos que são rebeldes. Tudo é aprendizado!

É na igreja que ponho meus talentos em ação, desenvolvendo-me a cada novo projeto. Hoje, por exemplo, a Comunidade Transformados pela Fé apoia trabalhos de desenvolvimento social e de recuperação de dependentes químicos, fazendo reuniões direcionadas aos homens e aos jovens que anseiam conhecer mais a Cristo. Com tudo isso, fico cheio de alegria pelo privilégio de fazer parte da vida de muitas pessoas e deixar que elas façam parte da minha. A paz e a alegria que um dia procurei no mundo, ou seja, em prazeres passageiros, encontrei em Jesus, convivendo com irmãos e amigos.

Amigo é aquela pessoa que nem sempre está por perto ou tem a mesma opinião que a gente, mas é alguém com quem podemos contar nas horas de necessidade. A relação de amizade genuína é azeitada por honestidade e transparência. Ela acontece quando podemos olhar nos olhos do outro e ver que reside verdade ali; quando temos um amparo seguro nos momentos em que o chão parece sumir sob os pés. "O amigo é sempre leal, e um irmão nasce na hora da dificuldade" (Pv 17.17).

Infelizmente, vivemos dias em que a honestidade está se tornando algo raro. O famoso "jeitinho" parece tomar conta de nossa sociedade, que aprendeu o péssimo conceito de que é importante levar vantagem em tudo. O imediatismo e a falta de fidelidade somam-se a esse difícil quadro, lançando nossa pátria em um estado de corrupção moral lamentável. Nesse difícil cenário, todos somos responsáveis por restaurar valores como equidade e ética em nossa nação, tendo a promoção da vida como um objetivo a ser alcançado.

Nas atividades que já desempenhei, como jogador, pastor, embaixador do campeonato alemão de futebol ou mesmo como apresentador de televisão, Deus tem me ajudado. Ele é meu Pai, cuida de mim e me socorre em todas as necessidades. Deus é tudo para mim, e sem ele não consigo fazer nada. É nele que eu descanso e é nas mãos dele que confio o meu futuro.

Uma geração nasceu e cresceu depois que me aposentei dos gramados. Talvez nunca conheçam o Paulo Sérgio jogador de futebol, mas desejo que conheçam o Paulo Sérgio servo de Deus, um homem amigo, verdadeiro, justo e ético, que plantou boas sementes por onde passou e fez o seu melhor, sendo um exemplo de vida, pois é justamente esse o legado que dura para sempre.

Conclusão

A vida é como um jogo em que somos convocados para ganhar. Nele, a família é a primeira equipe com a qual dividimos o campo da existência e aprendemos valores importantes, que formarão a base de nossa estrutura em toda a jornada. Nesse contexto, pai e mãe, mais experientes, atuam como verdadeiros treinadores e nos transmitem as táticas para que tenhamos bom desempenho, mesmo quando contratempos surgem pelo caminho. Irmãos, parentes e amigos somam-se a nós nos embates do dia a dia e nos ajudam a driblar os gigantes que se levantam. É justamente porque ninguém nasceu para viver sozinho que precisamos desse contato com outros jogadores, para que alcancemos bons resultados. Vamos mais longe e crescemos quando desfrutamos da companhia daqueles que estão ao redor.

Com o tempo e calejados pela vida, subimos um degrau e assumimos a direção da caminhada. Agora, nossa missão é ensinar outros a prestarem atenção a todos os lances para que também alcancem vitórias: o pai que cuida do filho, o marido que auxilia a esposa, o profissional que mentoreia um novato. Assim, nessa saudável troca, o dia a dia fica permeado de propósito e significado, tendo como objetivo chegarmos ao fim do segundo tempo satisfeitos.

Louvo a Deus pela jornada de minha vida. Desde pequeno, tive o privilégio de ter companheiros de equipe que me ajudaram a dar passos certos que, por sua vez, resultaram em ótimos dividendos nas diferentes etapas do jogo. Muitos dos excelentes frutos que colho até hoje foram resultados dos bons exemplos que tive durante a infância e adolescência: a garra de minha mãe para sustentar os filhos, sozinha; a amizade de meu pai, que, mesmo ausente em minha infância, mudou de postura e tornou-se um companheiro com quem eu podia contar; as sábias palavras de meus bisavós; a amizade de primos, tios e parentes; a atenção de professores e técnicos dedicados com quem tive a chance de conviver — todas, pessoas que exerceram influência positiva em minha trajetória pessoal, profissional e espiritual.

Sou imensamente grato ao Senhor pela oportunidade de poder ingressar no futebol, atuando primeiramente como jogador dos times de base do Corinthians e, depois, como profissional. Jamais imaginei que de um teste despretensioso surgiria a grande guinada de minha vida. Foi em meio a uma oportunidade aparentemente simples que dei o primeiro passo para uma carreira de projeção nacional e internacional.

Daí, surgiram experiências diversas e frutos que beneficiaram não somente a mim, mas a minha família também. De fato, assim como nos gramados, na jornada da vida temos de estar atentos a todos os lances do jogo, pois, quando menos imaginamos, podem surgir chances para excelentes gols. Que golaço foi entrar para o futebol! Realizei sonhos, conheci pessoas e lugares, sustentei

Que golaço foi entrar para o futebol! Realizei sonhos, conheci pessoas e lugares, sustentei minha casa e cresci como ser humano. Em cada conquista, Deus esteve comigo para me lapidar, ensinar, guiar e proteger.

Conclusão

minha casa e cresci como ser humano. Em cada conquista, Deus esteve comigo para me lapidar, ensinar, guiar e proteger.

Na partida da vida, obviamente, há momentos em que enfrentamos percalços e somos confrontados com nossas debilidades. Quando isso acontece, não podemos recuar, mas, sim, avançar, utilizando o momento turbulento como um degrau para ir além e melhorar o desempenho. Lembro-me de mancadas, decisões erradas e faltas cometidas. Porém, elas não me tiraram de campo, mas me fizeram refletir acerca dos pontos de vulnerabilidade em minha personalidade, a fim de corrigir rotas e alcançar bons resultados. Nessas ocasiões, o bom conselho de pessoas idôneas fez toda a diferença.

Hoje, avanço a passos largos no segundo tempo da partida e vislumbro o futuro com muito entusiasmo. Agora, nos púlpitos, exerço com paixão minha vocação como pastor. Sei que nessa função posso ajudar outros a trafegar com segurança, força, fé, resiliência e ousadia no campo da existência, auxiliando-os a caminhar passo a passo, rumo à grande vitória: o dia em que estaremos com Cristo por toda a eternidade.

Sim, a vida é como um jogo e Deus deseja que todos nós sejamos campeões!

Saiba que você está com a bola da vida nos pés. Faça sempre o seu melhor e não desanime quando tudo parecer dar errado. Se isso acontecer, pare por um momento, reavalie as suas jogadas, corrija as falhas e avance para o gol. Em todas as ocasiões, mantenha seus ouvidos atentos à Palavra de Deus, a Bíblia, pois nela encontrará a tática perfeita para que seja vencedor.

Que seu desempenho seja crescente e seus resultados sejam abundantes. Peço a Deus que, ao término da partida, eu e você possamos dividir o pódio alçando nas alturas o troféu da vitória.

FOTOS

Paulo Sérgio e seu irmão Jean Paulo ao lado de tia Helena (com a prima Renata nos braços) e tia Nela, em registro feito no fim dos anos 1970.

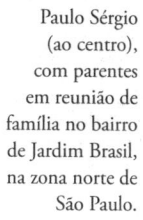

Paulo Sérgio (ao centro), com parentes em reunião de família no bairro de Jardim Brasil, na zona norte de São Paulo.

Paulo Sérgio e o preparador físico Vanilton, em 1986, no "terrão", campo de treinamento dos times de base do Corinthians.

Paulo Sérgio começa a galgar lugares mais altos na carreira. Esta foto é de 1987, quando atuava nas categorias de base do Corinthians.

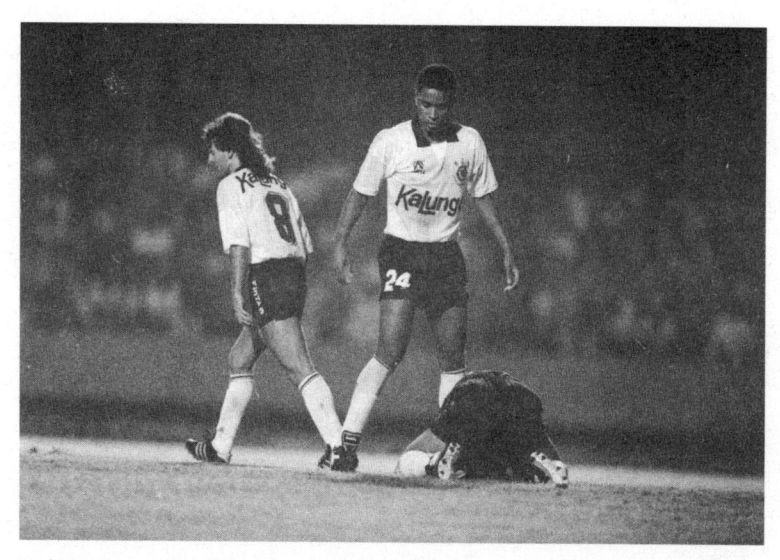

Paulo Sérgio, em 1991, defendendo a equipe do Corinthians na Copa Libertadores da América.

Paulo Sérgio festeja um gol em partida pelo Corinthians no estádio do Morumbi, em São Paulo, em 1991.

Paulo Sérgio realiza o sonho de enorme parcela dos brasileiros: vestir a camisa verde e amarela da seleção de futebol, que, na época, ainda contava com apenas três estrelas no peito.

Paulo Sérgio defende a Seleção Brasileira em jogo contra Camarões, no Stanford Stadium, em São Francisco (EUA), durante a Copa do Mundo de 1994. Na ocasião, o Brasil venceu por três a zero.

Paulo Sérgio entre Cafu e Dunga, durante treinamento da Seleção Brasileira na Copa do Mundo nos Estados Unidos, em 1994.

Paulo Sérgio sempre foi muito aplicado nos treinos preparatórios para as partidas da Copa do Mundo dos Estados Unidos, em 1994.

Paulo Sérgio, entre Jorginho e Ricardo Rocha, comemora no vestiário a vitória sobre a seleção italiana na final da Copa do Mundo de 1994.

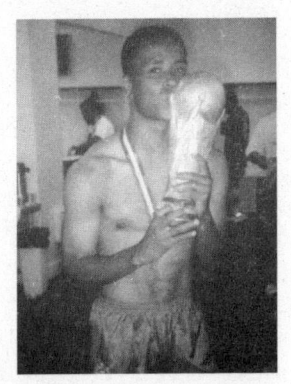

Paulo Sérgio beija a tão cobiçada taça da conquista da Copa do Mundo de futebol, em 1994.

Durante as comemorações pela conquista do tetracampeonato na Copa do Mundo de 1994, a Seleção Brasileira presta uma homenagem ao automobilista Ayrton Senna, morto em maio daquele ano.

Um ano depois da conquista da Copa do Mundo, Paulo Sérgio posa vestindo o uniforme do Bayer Leverkusen, da Alemanha.

A passagem de Paulo Sérgio pelo Roma, da Itália, foi uma fase turbulenta em sua carreira.

Paulo Sérgio sempre foi gentil e atencioso com os fãs, como mostra a foto dele sendo saudado pelos torcedores do Bayer Leverkusen.

Paulo Sérgio passou três anos no Bayern de Munique, que adquiriu seu passe por doze milhões de marcos.

Momento de descontração durante treino do Bayern de Munique. Da esquerda para a direita: Paulo Sérgio, Ciriaco Sforza, Giovane Elber e Bixente Lizarazu.

Paulo Sérgio faz embaixadinhas e outras brincadeiras com a bola trajando uma roupa bávara, típica da região de Munique, na Alemanha.

Paulo Sérgio comemora a vitória do Bayern de Munique na final do campeonato alemão, em 2000, com uma volta olímpica.

Paulo Sérgio em jogo pelo *master* do Bayern de Munique, time formado por ex-atletas do clube.

Paulo Sérgio em companhia de outros jogadores da equipe *master* do Bayern de Munique, em 2017.

Como presidente dos Atletas de Cristo, Paulo César esteve à frente de ações de ajuda humanitária e evangelística, como sua viagem ao Chile, em 2008.

Paulo Sérgio é recebido por líderes de Mianmar, em 2008, ao realizar viagem missionária à região após um *tsunami*.

Habitantes de Mianmar recebem a delegação dos Atletas de Cristo, em 2008, com carinho e deferência.

Escola em Mianmar visitada pelos Atletas de Cristo depois do *tsunami* que varreu a região, em 2008.

Alunos de escola em Mianmar recebem a visita da delegação dos Atletas de Cristo, em 2008.

Paulo Sérgio, então presidente dos Atletas de Cristo, participa de evento em viagem missionária ao Vietnã.

Equipe dos Atletas de Cristo se prepara para partida contra a seleção olímpica do Vietnã, durante a *Tour of Hope* ("Turnê da Esperança").

Paulo compartilha publicamente sua fé em ação de evangelismo realizada na centenária Marienplatz, praça conhecida de Munique, na Alemanha.

Paulo Sérgio e outros integrantes dos Atletas de Cristo em ação missionária nas Ilhas Fiji, em 2012.

Paulo Sérgio e equipe do *reality show* "Menino de ouro", do SBT. Da esquerda para a direita: o goleiro Zetti, a atriz Karina Bacchi, Paulo Sérgio e o zagueiro Edmilson.

Paulo Sérgio faz uma oração com a camisa com que representou a Seleção Brasileira na Copa do Mundo de 1994.

Comissão técnica da Red Bull Brasil, equipe da qual Paulo Sérgio foi treinador, em 2008.

Paulo Sérgio explica esquema tático a jogador do Red Bull Brasil, time que treinou, em 2008.

Paulo Sérgio, os filhos Luiz Felipe e Ana Caroline, e a esposa Merly, no Muro das Lamentações, em Jerusalém, em 2008.

Da esquerda para a direita: Paulo Sérgio; a filha, Ana Caroline; a esposa, Merly; o filho, Luiz Felipe; e a mãe, Maria Angélica.

O pastor Paulo Sérgio prega o evangelho na Arena Transformados pela Fé, igreja que fundou com sua esposa, Merly, em Barueri (SP).

Paulo Sérgio e sua esposa, Merly, durante culto realizado na Arena Transformados pela Fé.

Apesar de todas as suas atribuições como profissional e pastor, Paulo Sérgio não se priva de entrar em campo, como quando é convocado para a seleção do Brazil Masters.

SOBRE O AUTOR

Paulo Sérgio Silvestre do Nascimento iniciou sua carreira como jogador de futebol nas categorias de base do Corinthians. Aos 19 anos, ingressou no time profissional e, desde então, passou por diferentes equipes do Brasil, como Novorizontino e Bahia, e do exterior, como Bayer 04 Leverkusen e Bayern de Munique (Alemanha), Associazione Sportiva Roma (Itália) e Al-Wahda Football Club (Emirados Árabes Unidos). Integrou a seleção brasileira de futebol, tendo feito parte do seleto grupo de tetracampeões da Copa do Mundo, em 1994. Atualmente, Paulo Sérgio é gestor esportivo, embaixador do campeonato alemão de futebol, comentarista esportivo e pastor da Comunidade Transformados pela Fé, em Alphaville, Barueri (SP).

Compartilhe suas impressões de leitura escrevendo para:
opiniao-do-leitor@mundocristao.com.br
Acesse nosso *site*: www.mundocristao.com.br

Equipe MC: Maurício Zágari (editor)
Cleiton Oliveira
Heda Lopes
Natália Custódio
Diagramação: Triall Editorial Ltda
Gráfica: Imprensa da Fé
Fonte: Adobe Garamond Pro
Papel: Norbrite Cream 67 g/m² (miolo)
Cartão 250 g/m² (capa)